余英時序文集

余英時 —— 著

余英時文集編輯序言

聯經出版公司編輯部

余英時先生是當代最重要的中國史學者，也是對於華人世界思想與文化影響深遠的知識人。

余先生一生著作無數，研究範圍縱橫三千年中國思想與文化史，對中國史學研究有極為開創性的貢獻，作品每每別開生面，引發廣泛的迴響與討論。除了學術論著外，他更撰寫大量文章，針對當代政治、社會與文化議題發表意見。

一九七六年九月，聯經出版了余先生的《歷史與思想》，這是余先生在台灣出版的第一本著作，也開啟了余先生與聯經此後深厚的關係。往後四十多年間，從《歷史與思想》到他最後一本學術專書《論天人之際》，余先生在聯經一共出版了十二部作品。

余先生過世之後，聯經開始著手規劃「余英時文集」出版事宜，將余先生過去在台灣尚未集結出版的文章，編成十六種書目，再加上原本的十二部作品，總計共二十八種，總字數超過四百五十萬字。這個數字展現了余先生旺盛的創作力，從中也可看見余先生一生思想發展的軌跡，以及他開闊的視野、精深的學問，與多面向的關懷。

文集中的書目分為四大類。第一類是余先生的**學術論著**，除了過去在聯經出版的十二部作品外，此次新增兩冊《中國歷史研究的反思》古代史篇與現代史篇，收錄了余先生尚未集結出版之單篇論文，包括不同時期發表之中英文文章，以及應邀為辛亥革命、戊戌變法、五四運動等重要歷史議題撰寫的反思或訪談。《我的治學經驗》則是余先生畢生讀書、治學的經驗談。

其次，則是余先生的**社會關懷**，包括他多年來撰寫的時事評論（《時論集》），以及他擔任自由亞洲電台評論員期間，對於華人世界政治局勢所做的評析（《政論集》）。其中，他針對當代中國的政治及其領導人多有鍼砭，對於香港與台灣的情勢以及民主政治的未來，也提出其觀察與見解。

余先生除了是位知識淵博的學者，同時也是位溫暖而慷慨的友人和長者。文集中也反映余先生**生活交遊**的一面。如《書信選》與《詩存》呈現余先生與師長、友朋的魚雁往返、詩文唱和，從中既展現了他的人格本色，也可看出其思想脈絡。《序文集》是他應各方請託而完成的作品，《雜文集》則蒐羅不少余先生為同輩學人撰寫的追憶文章，也記錄他與文化和出版界的交往。

文集的另一重點，是收錄了余先生二十多歲，居住於**香港期間**的著作，包括六冊專書，以及發表於報章雜誌上的各類文章（《香港時代文集》）。這七冊文集的寫作年代集中於一九五〇年代前半，見證了一位自由主義者的青年時代，也是余先生一生澎湃思想的起點。

本次文集的編輯過程，獲得許多專家學者的協助，其中，中央研究院王汎森院士與中央警察大學李顯裕教授，分別提供手中蒐集的大量相關資料，為文集的成形奠定重要基礎。

最後，本次文集的出版，要特別感謝余夫人陳淑平女士的支持，她並慨然捐出余先生所有在聯經出版著作的版稅，委由聯經成立「余英時人文著作出版獎助基金」，用於獎助出版人文領域之學術論著，代表了余英時、陳淑平夫婦期勉下一代學人的美意，也期待能夠延續余先生對於人文學術研究的偉大貢獻。

目次

【輯二】

【輯三】

輯一

胡適在今天的中國

——《胡適與近代中國》序

「國際胡適學會」在李又寧教授的策劃和推動下召開這次「胡適與近代中國」的學術研討會，兼以紀念胡適之先生一百虛歲的生日，這是一個具有重大意義的舉動。國立政治大學張京育校長慷慨支持，使會議終能依照原訂計畫實現，我們都應該向他表示很深的感謝。時報文教基金會大力協助促成，我們也深表謝意。此外就我個人所知，張朋園先生和陳宏正先生也都曾為這次會議熱心奔走；沒有他們兩位的努力，這個會議也是開不成的。我個人十分慚愧，因為早已答應了別的約會，竟不能前來參加這一盛會，用胡先生生前愛說的比喻，我是這次會議的「逃兵」。但是我這個「逃兵」並不敢忘記我的朋友們此時在台北的辛苦和貢獻。所以我用這篇簡短的獻詞向大家致最深的敬意。

「胡適與近代中國」是一個很廣闊的題目，但是卻是很合適，很必要的，因為胡適對近代中國的影響本來便是非常廣闊的。這裡的「近代」一詞在內容上是大有伸縮性的，它可以一直延長到今天。在今天中國大陸知識分子的心中，胡適並不完全是一個歷史上的人物，他的思想中的某些部分似乎又全新閃爍著生命的光芒。我最近有機會聽到好幾位大陸青年知識分子的議論，他們都不約而同地對胡適所提出的民主、自由、人權等觀念表現出無限的嚮往。儘管他們並沒有讀過《胡適文存》。我又剛剛收到安徽省社會科學院的一封邀請書，明年將舉辦第二次關於戴震的學術會議，主題是「戴學與胡適」。信上同時說明：這次會議是為了紀念胡適的「百年誕辰」。安徽的後輩對他們的「鄉賢」還是十分景仰的。

這些跡象顯示出胡適的影響在中國大陸又開始滋長了。大陸知識分子對胡適的新興趣和海外（包括台灣）形成了相當強烈的對照。以台灣來說，提起胡適，許多人也許都會有一種遙遠和模糊的感覺——胡適已遙遠和模糊到引不起開會紀念的興趣。但這是最近幾年的台灣的新現象。在五〇年代和六〇年代，台灣知識分子對胡適的興趣也曾經很熱烈過，其熱烈的程度並不減於今天的大陸。所以今天台灣知識分子對胡適的冷淡恰好說明台灣的政治現實已經發生了重大的改變，胡適當年在《自由中國》半月刊上所提倡的言論自由，反對黨的自由在今天的台灣已變成政治現實的一部分了。相反的，大陸知識分子對胡適的新熱潮也正好使我們可以窺測海峽對面的政治動向。

大約在十年以前，大陸一位「學術領導人」到耶魯大學來訪問——他今天還在大陸的「社會科學界」居於「領導」的地位，我們在席間談起了胡適，他說：胡適應該一分為二，他在學術上還有進步意義，但在政治上則是反動的。這當然代表大陸官方的觀點。我說：我們海外中國人的看法恰好相反。胡適在學術上早已被拋在後面了，倒是他的政治觀念對於今天的中國還是有意義的。這位「領導人」總算是有雅量的。我們並沒有弄到「不歡而散」。事實上，即使以學術而言，胡適在今天的中國大陸不但沒有落後，而且還在發生啟蒙的作用，我的話是站在海外的立場上說的，對於大陸並不適用。

那麼胡適對於台灣而言是不是在學術和政治兩方面都已完全過時了呢？在學術

上，不少人確已在胡適所開闢的道路上走得很遠了，而且除了他那一條路外，還有別的新路可走。年輕一代的學人大概不必再向他的著作中去汲取靈感了。換句話說，他的著作的絕大部分只有歷史的意義了。但是他所提倡的「勤、謹、和、緩」的治學態度則依然沒有過時，甚至還使人有與時俱新之感。在政治上，台灣今天也不需要再藉著胡適的招牌來爭取言論自由、組黨自由了。但是他晚年所特別強調的「容忍比自由還更重要」似乎對於今天的台灣還有嶄新的啟示。在台灣民主化的現階段上「容忍」是一個最具關鍵性的觀念，比三十年前更為迫切了。

「胡適與近代中國」研討會在今天的台北舉行可以說是適時適地的。我遙祝會議的成功，並提出以上的粗淺的看法，請大家切實指教。

（原載《胡適與近代中國》，時報出版，一九九一）

《胡適之先生年譜長編初稿：增補版》序

《胡適之先生年譜長編初稿》初版於一九八四年五月，距今已三十又一年。現在聯經出版公司決定增刊一部《補編》，將《年譜》付印前從原稿中刪除的一切文字彙集起來，印成專冊，附於《年譜》之後。在胡適研究領域相當活躍的今天，這無疑是最受歡迎的大事。

三十一年前我曾有幸為《年譜》寫了一篇長序；以此因緣，現在聯經的老朋友們盼望我再為《補編》寫幾句話，以當介紹。我有義不容辭之感，但卻下筆躊躇，不知當從何處說起。幾經考慮之後，我決定根據最近所見新資料，將《年譜》何以發生大量刪改之事略作說明，也許可以加添讀者對於《補編》的史學價值的認識。

胡頌平先生在《年譜．後記》中說：

> 適之先生是五十一年（按：一九六二）二月廿四傍晚……去世的。十月十五日安葬之後的第二天，繼任院長王雪艇（世杰）先生在院務會議上組織一個「胡故院長遺著整理編輯委員會」，他透過遺著編輯會同人的意見，推定由我負責胡先生的年譜。我怕這個任務超過我的能力範圍，不敢擔承，拖了兩年。……可是雪艇先生……堅持非我不可。他更繼續不斷的督促，我終於接受這個任務。（《年譜》第十冊，頁三九三〇）

頌平先生述《年譜》的緣起和撰寫過程，大致如此。最近校訂本《王世杰日記》已排印問世（中央研究院近代史研究所，上下兩冊，二〇一二），為我們提供了較詳的背景知識。《日記》一九六二年八月八日條：

> 召開第一次「胡適遺著整理會」，預定於三年內完成整理工作，將不自撰傳

記，但將編製年譜。（下冊，頁九六五）

所記比頌平先生的追憶還要早兩個月。至於〈後記〉中「繼續不斷的督促」之說，則有《日記》一九六七年七月六日條予以證實：

> 余近日力促胡頌平君早日完成胡適年譜初稿，此一工作亦余甚為關念之事。（下冊，頁一一七五）

統觀《日記》中有關《年譜》的各種記述，可知雪艇先生最初是以院長的身分，將它當作研究院的一項編纂計畫正式提出的。但也許是出於對胡適的特別敬愛，他最後對它發展出一種發自內心的個人承諾（personal commitment，相當於他所謂「關念之事」）。因此雖在辭去院長職位之後，他仍然當仁不讓，將《年譜》之事掌握在自己的手上。他是一九七〇年五月退休的，但次年九月二十五日的日記說：

胡適之年譜，余已（按：「已」似衍文）民國五十一年胡先生死後，到研究院時，即主張覓人撰著，以編纂委員會及余本人助之。編纂會未盡其責任，余只能隨時與胡頌平君商量，並儘可能助其覓取材料，實則係胡君一手撰成。初稿計油印厚冊廿八本，于今年八月始完成，雖尚需審校，然既有此初稿，工作總算大體完畢，余甚以為慰。至如何校審以及出版等事，余仍擬盡力為之規劃。（下冊，頁一三八〇）

又十月一日條記：

晨與胡頌平君商量校閱《胡適年譜》初稿事，擬請錢思亮、陳雪屏、毛子水、楊亮功、楊聯陞分別部門校閱。余亦擬參預。（頁一三八一）

這是年譜初稿大體完成後雪艇先生對於整個計畫的回顧和前瞻。很顯然的，他毫不遲疑地以計畫主持人自居，逕自擬定校閱人名單，而且將現任院長也包括在名單之內。這當然不能以「戀棧」之類觀念解之，因為其中祇有義務而無一絲一毫

「權」或「利」可言。事實上雪艇先生是澈頭澈尾為他個人的「承諾」或「關念」所驅使，所以《年譜》從撰寫、校閱到出版，他都是一股最重要的原動力。

但年譜初稿進入校閱階段之後，刪和改便必然隨著提上了議程。《日記》一九七一年十二月十九日條：

> 胡頌平所撰《胡適年譜》已告完成。余告以宜稍刪若干無關要旨之紀錄，並約數人分任校閱。校閱畢可向政府及國民黨中央黨部，由中研院請求准許出版。（同上，頁一三九九）

可見雪艇先生初讀全稿之後，首先便向編者提出了「刪」的要求。更重要的，這則日記明說《胡適年譜》必須得到政府和中央黨部的准許，然後才有出版的可能。這就更和「刪」緊密地連繫了起來，而且絕不限於「無關要旨的紀錄」了。在這條日記的四個月之前，即一九七一年七月十八日，他記下了下面這一觀察：

> 《胡適年譜》係余八、九年來商由胡君頌平編纂，搜集其生平所發表之言論

> 文字甚詳，至本月其全部初稿已脫稿（約二百餘萬言），余尚不知如何進行出版。適之言論有攻擊政府及國民黨者，但無攻擊蔣先生者，惟在政策上對蔣先生所採取態度，亦時有批評（例如對總統任期問題）。（同上，頁一三六三）

把這條記事和政府及中央黨部「准許出版」的問題結合起來看，我們便不能不承認：無論對於編者或校閱人而言，「刪」都構成了最難克服的挑戰。必須說明，我並不把「刪」和政治完全混為一談，但是我相信政治敏感是年譜遲遲不能定稿的一個重大原因。

初稿脫稿在一九七一年七、八月之間，已見上引日記；但四、五年之後，出版依然遙遙無期。雪艇先生對此事焦灼萬狀。《日記》一九七五年三月二十一日條：

> 今日與陳雪屏商酌將胡頌平所撰《胡適年譜》，儘早出版。（同上，頁一六三四）

五天以後（三月二十六日）《日記》載：

午後陳雪屏來商胡適之年譜稿出版事。（同上，頁一六三五）

一九七六年九月六日《日記》：

昨晤陳雪屏，堅促其設法將胡頌平所撰《胡適之年譜》儘今年內付印。（同上，頁一七二一）

同年十二月六日《日記》：

午後赴錢思亮院長家，共商胡適出版事。陳雪屏、胡頌平、毛子水、楊亮功俱到。余力主僅〔儘〕一年時間整理胡頌平稿完竣付印（擬由商務印書館出版），所需整理費用，擬向王雲五處商請由商務墊付。（同上，頁一七三七）

前三條都是和先岳陳雪翁商酌《年譜》出版事，其急迫之情盡顯無遺；他似已將出版的主要責任託付於雪翁。

最後一條所記是關於《年譜》出版的一次正式集會，包括《年譜》編者和前面提到的四位（在台灣的）校閱人；其中陳、毛、楊三公則同為適之先生的北大門人。雪艇先生顯然是要通過這次正式會議，以確定《年譜》的出版期限；他「力主僅一年時間」也充分反映出一副迫不及待的心態。《年譜》由商務印書館出版也出於他的提議，大概是因為王雲五與適之先生有師生關係之故。但此事後來未能實現，其故已不可知。

事實證明，這一正式決議依然落了空。一年多以後，一九七八年二月二十七日，他在《日記》中寫道：

> 昨日與陳雪屏商定辦法，由胡頌平負責整理《胡適年譜》，儘本年夏季完稿交印。（同上，頁一八一五）

老調子又重談了一次；不用說，失望也再添了一回。讀之令人沮喪。這是《日記》中關於胡適年譜的最後一條記述。《日記》止於一九七九年九月，《年譜》出版於一九八四年五月，雪艇先生則卒於一九八一年三月，因此他至死都沒有聽到

《年譜》初稿整理完竣的消息，更不用說付印了。

從一九七一到一九七八，雪艇先生督促《年譜》出版，一年比一年急迫，《年譜》的編者和校閱人對此必有深切的感受。在如此巨大的壓力之下，他們始終不能交卷，絕不是由於不夠努力，而是因為阻力太大。據我的判斷，「刪」和「改」必是阻力的一個重要部分。刪改《年譜》並不難，難在怎樣才能「刪」、「改」到政府和黨部都能夠接受而仍然不致歪曲譜主的歷史真實。我相信，編者和校閱人為此必曾費盡心血，《補編》的出現也許可以使我們窺見他們的苦心孤詣。

但《補編》的史學價值遠不只此。《胡適之先生年譜長編初稿》是一部最豐富、最集中、最可信、又最有系統的史料匯編。出版以來，它早已成為胡適研究的基石。據我瀏覽所及，許多關於胡適生平和思想的論述，包括若干年譜和傳記等，都是踏在《年譜長編》的基址上建立起來的。《年譜長編》雖長達三百萬字以上，但由於敘事條理井然，讀之引人入勝，欲罷不能。我所知道的一個最動人的例子是考古學家夏鼐先生（一九一〇—一九八五）。《年譜長編》是一九八四年五月出版的，夏先生在當年九月尾便得到了這部巨著，從九月二十七日開始，一直到十月二十一日才閱畢全書。我們知道，夏先生當時是一位大忙人，但是他忙裡偷閒，斷斷續續，卻一字不遺地讀了下去。《年譜長編》不但喚醒了他的記憶，而且還觸動了他的感情。《夏鼐日記》一九八四年十月六日條說：

> 閱《胡適年譜長編》第五冊，一九四七年前後，胡適來南京，都住在史語所，我第一次與之有所接觸，他的日記中可能會有提到我的地方。這時期我在南京，一度代理史語所所長。讀《年譜》，頗有陳寅恪的詩所謂「同入與亡煩惱夢，霜紅一枕正（按：「正」是「已」之誤）滄桑」之感。（《夏鼐日記》，上海：華東師範大學出版社，二〇一一，卷九，頁四〇一）

同年十月二十一日條云：

> 上午在家，閱《胡適年譜長編》第十冊，全書十冊，三九三〇頁，共三百多萬字。這書的後半，也是我所經歷的歷史。（同上，頁四〇六）

這個例子充分說明《年譜長編》不僅在史料匯編，它同時也是一部成功的編年史。

現在這部編年史因《補編》的印行而恢復了它的全貌，我們怎能不歡欣鼓舞呢？是為序。

二〇一五年四月二十一日於普林斯頓

（原載《胡適之先生年譜長編初稿：增補版》，聯經出版，二〇一五）

中國思想史上最難索解的一頁

普林斯頓中國學社近幾年來推動著幾項集體研究計畫，其中的一個重要專題是中國現代思想史的研究，正中書局即將出版的《五四後人物．思想論集》即其成果的一部分。四位作者的學術專業不同，但都熟悉近四十餘年來大陸的思想狀態，故能各就平時研讀領域發揮所長，寫成專篇。這些深入淺出的研究報告使在大陸以外的讀者對中共統治下的思想變遷可以有一個較為親切的認識，這是我們必須感謝本書四位作者的，這四位作者雖然都來自大陸，但是他們早在大陸時代便已開始發展了對於官方意識形態的批判態度。這幾年來，流寓美國，他們又接觸到自由世界的種種思潮和知識，眼界更為開闊。因此他們在這些文章中所流露的鮮明論點已遠超出馬列主義的框架。他們的反思達到了「入乎其內而又出乎其外」的境界，故尤為難能可貴。

八〇年代以前，中國大陸是一個完全封閉的社會，自由世界的學人論述大陸思想，無論是讚美或貶斥，大致都免不了情感的蒙蔽，讚美者固然膚淺，貶斥者也是隔靴搔癢。八〇年代以後，由於開放政策的效果，大陸的學術思想界對於外面的觀察者已失去其神祕的性質，直接而比較客觀的理解自然是可能的了。然而外在觀察者畢竟缺少真實生活上的體驗，往往知其然而不知其所以然，因此我們仍然需要內在觀察者不斷提供關鍵性的論點，使生活在另一世界的人可以懂得這些思想變化在日常人生方面有什麼具體的根據。唯有如此，現代中國思想史的研究才是活的學問，而不致流為紙上的死物。我認為這是《五四後人物．思想論集》最有價值的地方。

本書雖以「五四」人物為中心，但重心偏置在「五四」的破壞性、否定性的一系，即以魯迅和毛澤東為代表的「五四」左翼。「五四」是中國近代思想史上一個真正的「百家爭鳴」的時代，不但西方的各派思想都有人介紹和鼓吹，中國舊有的諸子百家以及佛教諸宗也都有人從現代的觀點重新闡釋。在這樣一個自由活潑的空氣中，破壞性、否定性的思潮也自有其清宮除道的積極作用。這股否定性思潮在一九一九年以後匯流於馬克思主義之中，但即使如此，在當時「百家爭鳴」的局面下，馬克思主義的出現和傳布也只是豐富了中國現代思想的內涵，仍然是值得肯定的事。後來馬克思主義和革命暴力相結合，造成了中國的悲劇，則是種種國際和國內的政治因素有以致之，也未可全歸其惡於馬克思主義的本身。馬克思主義源於西方，在西歐與北美各國都有廣泛的流布。以亞洲而言，日本則是它植根最深的國家。但是它在這些地方都沒有發生破壞社會細胞的災害。由此可見，凡是政治、社會、文化比較健康的國家，馬克思主義只能作為一個思想流派而存在，絕無翻天覆地的神通。

我並不以為馬克思主義進入中國是一件值得大驚小怪的事。它在「五四」時期為少數知識分子所接受，毋寧是十分自然的。我感到驚詫的倒是自一九四九年以後，為什麼那麼多的「五四」一代的知識分子會死心塌地承認馬克思主義為「絕對真理」，並且那樣認真地努力從靈魂深處「改造」自己的思想，以求合於官方的意識形態？舉其較著名的而言，如金岳霖、朱光潛、賀麟，以及馮友蘭等人都是在中西哲學方面有很高造詣的學人。但他們在中共政權的面前，一個個都變成了甘心認罪的「思想囚犯」，而且不惜以各種不堪的懺悔方式作踐自己過去辛勤獲得的學術成就。我們最初以為他們是被迫出此，尚不免為之惋惜。現在我們知道，他們真是從心底承認自己是全錯了。這是現代中國思想史上最難索解的一頁。

「五四」以反孔家店的「名教」始，而以尊奉馬家店的「新名教」終，中國知識分子能作這樣大幅度的思想轉變而不失其怡然自得的故態，這說明中國文化心理的結構是最值得研究的課題。我仍然親切地記得，遲至一九四八年，在政治上活躍的中國知識分子，從教授、作家、新聞記者到大學生，人人都在爭取「民主」、「自由」、「個人自主」這些基本的現代價值，但是一年之後，他們便都毫不遲疑地跟著毛澤東痛斥「民主個人主義者」了。即以毛澤東本人而言，他在「五四」時期也是極端歌頌「自由」的，他不是寫過「萬物霜天競自由」的詞句嗎？為什麼大權在握之後，他只許自己有絕對的個人自由，而不惜摧毀一切其他個人——包括他的「同志」——的自由了呢？所以從一九四九到一九七九這三十年間，中國大陸上的一切思想和精神的資源都被冷藏起來了，剩下來的只有少數教條和口號。甚至馬克思主義也空存其名而已。覺醒了的共產黨員恢復一點長久被壓抑的人性也只有從馬克思早期手稿中去尋找一些突破口。所以「人道主義」、「異化」等問題的提出當時才能震動一世。在中國文化史上，一九四九—七九這三十年大概是「思想貧困」的顛峰時代吧！

這三十年的思想史雖然走的是一條越來越貧乏的下坡路，但是作為研究的對象，它所蘊藏的可能性則是極其豐富的。我盼望《五四後人物．思想論集》的四位作者能繼續努力下去，從不同的角度對這一段奇異的歷史作深入的發掘，使後人能理解為什麼中華民族竟走進這一段崎嶇艱險的道路。杜牧之〈阿房宮賦〉說：「秦人不暇自哀，而後人哀之；後人哀之而不鑑之，亦使後人復哀後人也。」只有認真領取歷史的教訓，「後人復哀後人」的悲劇才不至於重複上演。

（原載《聯合報》，一九九六年五月十二日；後收入《五四後人物．思想論集》，正中書局，一九九六）

從傳統到現代的見證

整整二十年前，一九八二年七月二十八日到三十日，《中國時報》在宜蘭的棲蘭山莊舉辦了一次研討會，主題是「近代中國的變遷與發展——人文及社會科學的探討」。主要的目的是：「對百餘年來的中國歷史作一反省，從社會結構與文化的變遷中汲取寶貴的經驗與教訓，進而為我國未來的發展尋找生路。」這個討論會的倡議來自多位關心社會的知識分子，但原動力則是剛剛離開了我們的余紀忠先生。他在艱苦的情況下創辦《中國時報》，其基本宗旨便是「為我國未來的發展尋找出路」。當時正值陶百川先生八十壽期，大家十分欽敬陶先生數十年來不斷為民主法治呼號，特以這個討論會作為祝賀。

如果我的記憶沒有太多錯誤，紀忠先生和我們這一群與會的知識人其實都有一個共識：中國的唯一出路是從傳統的社會、文化結構中蛻變出來，建立起一個開放、民主、自由的現代結構。用當時流行的語言說，即如何從「傳統」轉化為「現代」。二十年前我們雖然仍在所謂「現代化理論」（modernization theory）的餘波蕩漾之下，但早已脫出了「五四」以來「反傳統」的激情。我們並未將「傳統」與「現代」看成兩個互不相容的對立概念，我們毋寧以二者之間存在著一種辯證的關係，換言之，即似相反而實相成的。作為社會學、政治學或史學的概念，「傳統」與「現代化」當然都是普世的，然而落實到經驗層面，「現代化」為相對於某一特定的「傳統」而成立。西方社會文化從「傳統」到「現代」的轉變是一個重要的參照系統，但並不足以構成「放之四海而皆準」的普遍模式。中國怎樣才能從「傳統」向「現代」轉化，首先便離不開它本身的歷史經驗。當時研究非西方社會（如印度）的專家，已指示了一個可能性，即每一特定「傳統」中都涵有它的特定「現代」因素，從「傳統」到「現代」，關鍵不在「破舊立新」，而在「推陳出新」，這裡有一個微妙的「弔詭」（paradox），越想掃盡「傳統」以追求「現代化」，

「現代化」反而越遙不可及。這個可能性在最近二十年來的學術發展中得到更多的印證，而不是否定。出身印度的經濟學諾貝爾獎得主阿瑪提亞・森（Amartya Sen）最近一連串的論述便是一個具體的例證，他在印度十六世紀的歷史中發現，伊斯蘭教義中早已包含了「宗教容忍」的成分，不過由於種種客觀因素，未能持續成長而已。就我個人的直覺而言，我當時已感到作為中國文化傳統的特定地區，台灣和香港都是經濟、社會方面「現代化」比較有成就的地方，其所以為此，恐怕與這兩個地區所保存和發展的「中國傳統」不無重要關係。這兩個地方恰恰都躲過了二十世紀「革命暴力」的摧殘，因此我當時深信台灣從「傳統」轉化為「現代」的可能性是很高的，如果撇開實際狀況不論，僅從結構方面著眼，二十年後的台灣確已大大接近了開放社會的境界。這部論文集，由於種種顧慮，不能在討論會結束後立即出版，而今天問世或已引不起強烈的社會反響，這一事實本身便十分說明了「結構」的重大變遷。至於今天台灣的政治和社會中所面臨的種種新困境，那是屬於完全不同範疇的問題，這裡不必，也不可能做任何討論了。

在結束這篇短序之前，我不能不去回憶一下當時開會的景況。棲蘭山莊是一個非常優美的所在，至今仍深深地印在我的記憶中。討論會上無數熱烈爭論的內容早已模糊了，但是我們對於台灣未來發展所懷抱的一種深切期待卻好像是昨天才發生的一樣。我尤其不能忘懷的是開會期間的颱風。一九八三年七月三十日我乘摩托車下山回台北的一幕，也已成為個人記憶中永遠不能磨滅的印象。寫到這裡我又不禁想起了八月一日在台北師大的一場演講，這也是由《中國時報》主辦的，為了把我們的討論傳達給更多的社會大眾。我還清晰地記得演講中一個有趣的插曲。我大概在口頭隨意發揮中提到毛澤東，說他是個「中共的最高領袖」。有一位穿著綠描金龍衣衫的聽講者，誤將「共」字聽作了「國」字，曾對我提出了十分嚴重的抗議。這一抗議把會場的熱度頓時提高到沸點，當時台北的思想氛圍由此可見一斑。我不知道這位龍衣人現作何狀。依我所了解的二十年前「人心的變化」而言，即使我說的真是「國」字而不是「共」字，他今天大概也不會提出抗議了吧！

二〇〇二年七月三日於台北

（原載《中國時報》，二〇〇二年七月三十日；後收入《近代中國的變遷與發展：人文及社會科學的探索》，時報文化，二〇〇二）

《從美國外交文件看民國誕生》序

盧雪鄉女士《從美國外交文件看民國誕生》即將付梓問世。這是一部既重要又非常及時的專書，因為今年恰好是辛亥革命的一百週年。我有幸讀到本書的原稿，很高興能有機會寫幾句話作為介紹。

雪鄉女士長期在美國國會圖書館亞洲部（Asian Division）擔任重要職務，榮休前幾年一直是亞洲部的代理主任（Acting Chief, Asian Division），她對國會圖書館的重大貢獻即此可見一斑。但是她不僅在圖書館的正式職位之內盡心盡力而已，對於豐富的檔案也發生了學術研究的深厚興趣。她的注意力主要聚焦於「還原建立中華民國百年歷史與當時的國際關係」（見第一章「導言」）。因此在正式公務的空隙時間，她在館藏各部門進進出出，搜尋一切有關史料。根據她收集原始材料的經驗，她告訴我們：國會圖書館手稿部（Manuscript Division）和綜合收藏（General Collections）對於中國近百年史的重建而言，「可能是一個未曾被發掘的所羅門寶藏」。這是一個寶貴的經驗，為未來的研究者指示了具體的途徑。

但雪鄉女士這本書並不是簡單的檔案史料的搜尋和滙集，更重要的是她的深入研究功夫將孤立而看來好像沒有意義的史料轉化為重要的證據，使久已隱沒的歷史頓時復活了起來。讓我舉個例子作為說明。在手稿部的「總統文庫」（Presidential Papers）中，雪鄉女士發現了一張孫中山先生在一九一二年四月十七日寫給阿博德博士（Dr. Lyman Abbott, 1835-1922）的明信片，但上面除了人名、地址、照片之外，沒有任何文字。經過一年多的深入而廣泛的研究之後，她終於徹底認識了阿博德在美國政治上的重要地位。他和老羅斯福總統（President Theodore Roosevelt，任期一九〇一—一九〇八）的密切合作使他在美國對華政策上也發生過影響，並間接及於後任塔夫脫（William Taft，任期一九〇八—一九一二）和威爾遜（Woodrow Wilson，任期一九一三—一九三〇））兩位總統。這一張不著一字的明信片便成為中美關係史上一個極有意義的文件了。

毫無疑問，《從美國外交文件看民國誕生》是對於辛亥革命一百週年最有意義的一種紀念方式，我熱烈慶賀雪鄉女士的成功。

二〇一一年三月二十七日　余英時序於普林斯頓

（原載《從美國外交文件看民國誕生》，商務印書館，二〇一一）

《燕京大學：一九一九—一九五二》代序

陳遠先生：

找到了您的大作原稿《燕京大學：一九一九—一九五二》，又匆匆重溫了一遍。現在將我的評語寫在下面，供參考。

余英時　啟

二〇一三．二．二十七

本書取材豐富、分析精密、敘事流暢、論斷公允，不但如實地保存了燕京大學三十三年間的輝煌業績，而且更將它「因真理、得自由、以服務」的內在精神生動地呈現了出來。曲終奏雅，作者寫全書最後（同時也是最長）的一章，筆下充滿著感情，對於這一中西文化結晶的逝去，不勝其惋惜和傷悼。我讀這一章也感動最深，因為我恰好短暫地參與了「燕京消亡」的一幕！

（原載《燕京大學：一九一九—一九五二》，浙江人民出版社，二〇一三）

《陳克文日記：一九三七—一九五二》序

陳克文先生是我的朋友方正兄的尊人。記得大概在兩年以前，方正兄告訴我，他正在開始整理克文先生的日記。我聽了非常興奮，鼓勵他趕快完成這一重大計畫，為中國現代史增添一種最可信的史料。二〇一〇年三月起，方正兄編校的《陳克文日記輯錄》第一輯（一九三七年）開始在《萬象》雜誌上連載（第十二卷第三期至第八期，又第十期至十一期），我每期必讀，而且越讀越感覺我的最初期待得到了十足的印證。這部日記為什麼具有這樣高的史料價值呢？方正兄下面一段話充分地解答了這個問題：

父親歷任行政院參事、立法委員，和短暫的立法院秘書長，地位並不高，但長期負責實務，得以從內部和中層來觀察政府運作和眾多政壇人物言行；而且他剛出校門就入黨、從政，與政界乃至學界有廣泛接觸和交往，他的觀察、評論應該是很有興味和歷史價值的。（《陳克文日記輯錄》「前言」，《萬象》第十二卷第三期，二〇一〇年三月，頁一）

這部日記共分七輯，再加上最後一章（尾聲）；我已經讀過其半；除已刊印的第一輯外，我又細讀了第五、六、七輯的稿本。讀後的整體印象完全符合上引方正兄關於日記的簡要介紹。但是我還要增加一重理由，以凸顯這部日記的特殊史料價值。正因為克文先生一直擔任著中央政府最高行政或立法機構的高級事務官，所以他上可以隨時與中央首長（如行政院長和立法院長）直接溝通，中可以經常與同僚交換意見，下則可以通過低級部屬而認識到整個科層系統的運作。我曾讀過王世杰先生的日記，他在中央政府的地位自然高於克文先生，但也因此之故，所見偏於最高層的小圈子之中，視野反而受到較大的限制。我對於這部日記特別信任則是和我對日記作者的信任分不開的。但這並不是因為我和方正兄之間的友誼關係，事實上，我耳聞克文先生的大名遠在認識方正兄之前。一九五〇—一九五五年，我就讀於新亞書院和研究所時期，已經開始接觸香港的文化圈子，當時克文先生是這個圈子裡面很受尊重的一位長者；他不但時時發表政論文字，而且還在五〇年代中期主編著名的《自由人》週刊。我雖然無緣拜謁克文先生，但從師友前輩等處聽到的風評，即早已心儀其人。讀過大半部日記之後，對他持論之公允和辦事之認真，我更獲得了親切的認識。

正是由於公允和認真兩種長處，克文先生主持的《自由人》很快便取得了輿論界的牛耳地位，讓我舉兩個例子來加以說明。一九五五年八月《自由人》四六四期刊出了兩篇文字，攻擊中央研究院歷史語言研究所「把持學術資料」，不許外人借閱。胡適在美國讀了這一期，認為這種指責有損史語所的名譽，因此立即寫了一封信給中研院院長朱家驊，要他趕快設法補救（見胡頌平《胡適之先生年譜長編初稿》第七冊，頁二四八八）。第二個例子也出於胡適。一九五六年一月《自由人》第五一一期和五一二期載有徐道鄰〈記丁在君〉一文，胡適讀後認為其中有幾處嚴重的記憶錯誤，因此在二月一日寫了一封給《自由人》「編輯先生」的信，一一作了更正（見同上，頁二五一三—二五一四）。不用說，這位「編輯先生」當然非克文先生莫屬了。我想這兩個例子充分證實了《自由人》在當時港、台和海外文化界的巨大影響力。

我又無意間在吳宓的日記裡發現了克文先生辦事認真的一則紀事。一九四六年八月下旬，吳宓在重慶尋找飛機座位去武漢大學任教，幾處有關機構都不能給他任何確定的答覆。最後有人極力主張，他應該「往謁行政院參事陳克文」。於是八月二十四日（星期六）下午，他在行政院辦事處見到了克文先生。日記中寫道：

> 陳（克文）立命莫（按：科長莫子純）辦乘機申請表，核准宓乘中國航空公司班機，於八月三十日（星期五）飛漢（口）云云。陳出示二公函，知此事已交代與交（通）部項參事。陳對宓乃以友誼特助云云。宓謝出。（見《吳宓日記》第十冊，三聯書店，一九九九，頁一一五）

克文先生和吳宓素不相識，竟在星期六下午一二小時之內為他辦好班機座位，效率之高已到了不可想像的程度。

為了這件事，我特別查證了克文先生同一天的日記，可惜沒有留下記錄，但在兩天前，即八月二十二日，我讀到下面一段敘事：

下午四時出席中央黨政軍各機關代表五十餘人聯名柬請，在勝利大廈舉行的慰勞茶話會。他們于會席上說了不少對我個人獎飾慰勞的話，並且很鄭重的送給我一本各代表親自簽名的紀念冊，冊裡開首一頁題著「平允周至，任勞任怨」兩句話，跟著一片單簡的敘文，述說我從去年九月到現在辦理復員運輸的工作經過。他們把復員運輸送走了卅萬人的成績算作我的功勞，實在使我慚愧萬分。

由此可知克文先生自一九四五年八月中旬起，便全力承擔著復員中央各機構的繁重工作，一年之內竟安排了三十萬人從重慶回南京的旅程。明白了這一背景，他在片刻之間為吳宓解決了機位的問題便不足驚詫了。前面我已經指出他具有「持論公允」和「辦事認真」兩大特長，現在看到「平允周至，任勞任怨」八個大字，我覺得這確是對於這位高級事務官的一個最準確的評價。

基於對克文先生人格的認識，我讀他的日記，自然而然地生出一種信任感；無論是記事或是評論，我反覆參究，都覺得是可信的。可信度是和日記的史料價值成正比的。有些日記雖然是重要原料，但由於其中存在著諱飾、曲解、偏見、謊言等等缺點，我們引用時不免要小心翼翼，甚至必須先作一番考辨的功夫。近十餘年來，我讀了大量的日記，從清代一直到二十世紀，不是為了專業研究，而是為了從種種私生活的視角去認識歷史的變動；這一角度不但與所謂「正史」不同，而且也和專史或地方史大有分歧。在這一長期閱讀過程中，我發現日記大致可以分成兩大類：一類是基本上可以信任的，另一類是未可盡信的；前者可以《吳宓日記》（正、續兩部共二十冊）、金毓黻《靜晤室日記》（十冊）為代表，後者則以《鄭孝胥日記》（五冊）、《周佛海日記》（兩冊）最有典型性。克文先生的日記便屬於前一類，而且是其中的上乘作品。

最後，我要對《陳克文日記》的史料性質略作說明。《日記》始於一九三七，即抗日戰爭開始的一年；終於一九五〇，即國民黨完全撤離大陸的一年。因此我可以毫不遲疑地說，這部日記是國民黨政權在中國大陸從「衰」到「亡」的一個相當可觀的提綱。一般的看法以為國民黨的衰落始於抗戰後期，事實上，自一九三七年十一月中旬以後，由於「八一三」上海戰爭的最後失敗，不少中上層的官員對於國民黨領導抗戰的能力已經發生動搖。《陳克文日記》一九三七年十二月二十三日條記載：

戰敗後，許多人的自信心似乎漸次消失。張伯勉到四明銀行接洽公務，便說政府改組，最好請毛澤東做行政院長，朱德做軍政部長，他們的辦法要多些。彥遠、介松在旁邊，也附和此說。這分明是自信心已經動搖了。戰敗不足怕，自信心動搖了，才是真正可怕。

張伯勉名銳，當時是行政院參事，他對毛、朱及其黨未必有任何認識，竟發出這樣的議論，並且得到他同事的附和，可見國民黨在精神上已經開始潰散了。《日記》同年同月十七日又記下了羅君強如下的議論：

日本人在北平成立新組織，多般利害，影響必定不少。如今我們可以隨意選擇我們的去處，那一處待遇好，我們便到那一處。橫豎都是中國人的統治，又何必分彼此呢。

克文先生接著說：

這段話似乎是說笑，又似乎不是說笑。介松、彥遠聽了都很生氣。我最擔慮的倒不是君強個人最【是】否有此思想，所怕的真有許多人會如此動搖起來。

這又是自信心動搖的另一表現。羅君強說的不是笑話，而是真實的想法，所以第二年便追隨周佛海到日本占領下的上海去了。如果我們一讀周佛海在同一時間的日記，則更可見國民黨內部已因抗戰失利而深陷在悲觀的氣氛中。（參看《周佛海日記》上冊，中國文聯出版社，二〇〇三，一九三七年十一月十三日及十二月三日兩條）許多中堅的幹部失去信心顯然標誌著國民黨衰落的開始。

國民黨在大陸滅亡的過程，集中在一九四七—一九四九那三年之中，這也在《日記》中有清楚的跡象可尋。我為什麼把這一過程的展開放在一九四七年呢？這是因為《日記》在這一年的元月和二月各記了一件值得注意的事。元月二十五日條：

下午到李正偏寓，貢華、介松、宜山、予遂諸兄均在座。談到最近數日國軍在魯敗績，他們都一致認為國民黨再無法和共產黨打了。

這些人大概都是克文先生的行政院同事，他們對於山東戰事失利的心理反應和上引一九三七年十二月「八一三」失敗的情形先後如出一轍。軍事逆轉是政權崩潰前的一個確實的信號，毛澤東〈目前的形勢和我們的任務〉便是在一九四七年寫的。同年二月十五日，《日記》保存了王寵惠關於時局的一些意見：

他說：「以前聽到許多外國朋友批評政府貪汙無能，以為是過火的話，現在耳聞目擊，確是上上下下，大大小小無不腐敗，無不貪汙。」又說：「在重慶時即預料戰後國民黨必不免與共產黨齟齬鬥爭，卻不料有今日這樣厲害，更不料戰後的經濟災難會有今日這樣，比戰爭期間更為嚴重十倍百倍的情形。」對於經濟災難，他再三慨歎說：「現在真是活不下去了。」

政治腐敗和經濟災難一時併發，以致連王寵惠這樣的中央大員都發出「真是活不下去了」的慨歎，則政權之搖搖欲墜，可以想見。把這兩條日記放在一起作觀察，一九四七年國民黨南京政權衰亡史上的特殊意義，是顯而易見的。

從一九四七到一九四九年，國民黨內部分崩離析而終至全面潰亡，是一個極其複雜的過程。《陳克文日記》對這一過程中的重要轉捩點都留下了或詳或略的記述和觀察，但可惜我已不能在此作進一步的討論了。

我在前面指出，這部《日記》可以看作是國民黨政權在大陸衰亡史的一個客觀的提綱。現在讓我再對「客觀」兩字的涵義稍加澄清，以結束此序。正如方正兄在上引〈前言〉中所指出的，克文先生在黨內屬於汪精衛的系統。在《日記》（一九三七－一九三八）中我們也看到，他很得汪的信任；例如汪和德國駐華大使陶德曼交換關於與日本謀和問題的意見，克文先生即是少數在場證人之一（見一九三七年十月三十一日條），又如汪與蔣兩人私下討論時局的綱要，他也得到單獨閱讀的機會，《日記》云：「臨別，（汪）先生誡云，余與蔣先生所討論者，慎勿告人。」（見同年十二月十九日條）這一親密關係一直維持到汪在一九三八年底發表「艷電」為止。而且克文先生公私分明，勝利以後仍對陳璧君和汪氏子女表現出真摯的關懷。（見《日記》一九四七年元月七日、十九日和三月九日條）

另一方面，由於《日記》作者是廣西人，李宗仁的桂系也一直在拉攏他，而李競選副總統時，他也曾為之「奔走選票」（一九四八年四月二十五日條）。一九四九年李任代總統期間，他對李的民主風度很是欣賞。三月十六日的《日記》

說：

談話會的進行異常和諧，發言異常坦率，大家吸煙吃茶，也異常隨便無拘無束。代總統傾耳靜聽，說話極為客氣。做結論的時候，亦極合民主的原則，絕無專斷命令的神氣。使人想起從前當著蔣總統面前那種嚴肅拘束的空氣，說話顧忌保留的場合，真是兩種極不相容的作風。正因為如此，克文先生和國民黨中的自由分子曾一度希望另組政團，擁戴李為領袖，以造成一個民主自由的反共新勢力。（見《日記》一九四九年五月二十四日和十一月九日兩條）

像這樣一位與汪系和桂系都有關聯的人，我們通常大概會假定他在私人日記中對蔣介石及其嫡系一定抱很深的成見，筆下也必多斥責之辭。但這樣的假定用在《陳克文日記》的個案上卻恰恰適得其反，克文先生非常不滿蔣介石的專斷和集權，這是毫無問題的。然而對於蔣作為國民黨的最高領袖，他始終不改其尊重的態度，並且時時表現出一種同情的理解。抗戰爆發後，他雖體諒汪精衛的謀和苦心，但民族的尊嚴感卻使他成為蔣介石堅持抵抗的積極擁護者。一九三七年十月九日他聽了蔣的國慶廣播詞後，記道：

> 詞意聲音，均不失為全民族艱難苦鬥中最高領袖之表現，室中人均肅靜傾聽。最後蔣委員長高呼中華民國萬歲者三，室中人亦不禁隨聲高呼，並繼之以「蔣委員長萬歲」也。（參看《日記》同年十二月十九日條）

一九四七年以後蔣的政權已進入最後崩潰的階段，克文先生在日記中對他仍然時時流露出一種維護的情意，絕沒有半分譏笑或呵斥的意味。一九四七年三月蔣在三中全會總理紀念周上作了一次「極沉痛的演說」，有人認為蔣是「獨裁或隨意罵人」，但克文先生則說「其實如沒有他這樣的領導，國民黨真不免要分裂或沒落的」。（見《日記》一九四七年三月二十四日條）甚至在下野前幾天，蔣還在新年團拜時說大話，強調「只要我們恢復自信心，一定可以轉敗為勝」。聽者自然不免暗笑，克文先生當然也不會相信這種誇張之言。但是他的觀察角度與一般人不同，他說：「不過在我看來，他是確有信心的。看他今天的精神十分健旺，絕無悲觀頹喪的樣子，不失為一個造時勢的英雄。」（《日記》一九四九年一月一日條）克文先生把問題從客觀的形勢轉移到蔣個人的主觀形態，他的觀察還是禁得起考驗的。總結一句，作為國民黨政權在大陸上的一部衰亡史提綱，《陳克文日記》的歷史客觀性具有最可靠的保證。保證何在？在於作者徹底跳出了黨派意識的牢籠。

二〇一二年一月八日於普林斯頓

（原載《陳克文日記：一九三七—一九五二》，社會科學文獻出版社，二〇一四）

《雙照樓詩詞藁》序

多年以來顏純鈎先生都抱著一個願望，想推出一部註釋本的汪精衛詩詞集，讓一般讀者也能充分欣賞他的古典創作。在我們信札往復中，顏先生曾一再表示，政治和藝術必須分別看待，我們不應因為不贊成汪精衛的政治，便將他的藝術也一筆抹殺了。這一觀點我是完全同意的。

現在顏先生的夙願即將實現，但他雅意拳拳堅約我為箋釋本《雙照樓詩詞藁》寫序，參與他的創舉。感於他的熱忱，我一諾無辭，然而也不免有幾分躊躇，不知道應該從何處落筆。

我既不懂中國傳統的文學批評，也沒有系統地研究過詩詞流變的歷史，因此對於汪精衛詩詞本身的分析和評價，我只能敬而遠之。一再考慮之後，我覺得也許可以從兩個互相關聯的角度來寫這篇序文：第一，我是一個舊詩詞的愛好者，並且很早便已為汪的作品所吸引；第二，我又是一個史學工作者，對於汪精衛在日本侵略者的羽翼之下建立政權這一舉動一向有極大的探索興趣，希望找到一個合情合理的歷史解釋。因此幾十年來，凡是有關汪晚年活動的記述，特別是新出現的史料，我大致都曾過目。下面便讓我從這兩條線索談一談我對於汪精衛其人及其詩詞的認識。

如果記憶不誤，我想我最早接觸到汪精衛的詩是在抗戰時期的鄉間。大約在我十二、三歲的時候，有人把他早年〈被逮口占〉四首五絕寫給我讀。像許多讀者一樣，我當下便記住了其中第三首：「慷慨歌燕市，從容作楚囚。引刀成一快，不負少年頭。」當時我很崇拜「革命烈士」，因此作者在我的心中留下了很深的印象。但是今天回想起來，有一件事不可理解，即寫汪詩給我的人（已不記得是誰），似乎並沒有告訴我，汪已投靠了日本。無論如何，在窮鄉僻壤的安徽潛山鄉間，汪政權的存在根本無人注意。我是在一九四六年重回大城市以後才弄清楚所謂

「漢奸」問題的。

第二次發現汪精衛的作品是在一九五〇年的香港。我偶然在報刊上讀到汪的〈憶舊遊・落葉〉詞和吳稚暉反唇相譏的和什。汪詞如下：

嘆護林心事，付與東流。一往淒清，無限留連意。奈驚飆不管，催化青萍，已分去潮俱渺，回汐又重經。有出水根寒，拏空枝老，同訴飄零。天心正搖落，算菊芳蘭秀，不是春榮。摵摵蕭蕭裡，要滄桑換了，秋始無聲。伴得落紅歸去，流水有餘馨。只極目煙蕪，寒螿夜月愁秣陵。（按：末句收入《掃葉集》改作「盡歲暮天寒，冰霜追逐千萬程」，見本書註釋。）

這首詞是「豔電」發表以後汪在河內寫的，將當時中國的處境和他謀和的心境十分委婉地表達了出來，而復創造了一種極其「淒清」而又無奈的氣氛。我讀後不但立即體會到「他人有心，予忖度之」的實感，而且對作者的同情心也油然而生。我當然記得元好問《論詩絕句》中說過的話：「心畫心聲總失真，文章寧復見為人。」但是汪精衛早年〈被逮口占〉和這首〈落葉〉詞本身所發出的感人力量使我不能相信這是「巨奸為憂國語，熱中人作冰雪文」（錢鍾書語，見《談藝錄》補訂本，中華書局，一九八六，頁一六三）。

與汪詞相對照，吳稚暉「步韵」之什雖大義昭然，政治上絕對正確，但卻完全不能激動我。（按：吳詞也引在本書註釋中，讀者可以比觀。）姑且將「言為心聲」的問題撇開不談，僅就藝術造境而言，汪遠高於吳，到眼即辨。我當時曾本此認識寫了一篇文章，發表在新亞書院同學們創辦的壁報上。但這是六十二年以前的事，我的原稿早已不知去向了。

後來讀到了汪氏晚年的其他詩詞，我更相信我最初對〈落葉〉詞的理解雖不中亦不甚遠。試讀〈舟夜．二十八年六月〉七律（見《掃葉集》）：

臥聽鐘聲報夜深，海天殘夢渺難尋。
柁樓欹仄風仍惡，鐙塔微茫月半陰。
良友漸隨千劫盡，神州重見百年沉。
淒然不作零丁嘆，檢點平生未盡心。

這是他在一九三九年六月從日本回天津的船上寫的。他這次偕周佛海等人去日本，已取得日方支持，回國後將推行所謂「和平運動」，其實即是建立政權。但從這首詩看，他不但沒有半點興奮的情緒，而且「神州重見百年沉」之句明明透露出亡國之音。這和周佛海及其他同路人的反應完全不同。（見後）

總之，以我個人的眼光來看，汪的古典詩詞在他那一代人中無疑已達到了第一流的水準。近人稱許黃公度寫的詩能「我手寫我口」，我以為汪的詩詞則是「我手寫我心」，其委婉曲折處頗能引起讀者的共鳴。關於汪詩的評價，讓我舉陳寅恪和錢鍾書兩人議論，以見一斑。陳氏〈阜昌・甲申冬作時臥病成都存仁醫院〉七律起句說：「阜昌天子頗能詩，集選中州未肯遺。」這是以劉豫比汪精衛，但重點放在詩上，稱許汪氏可躋於一代詩人之林。元好問選《中州集》收了劉豫的七絕七首（卷九），都楚楚有風致。錢鍾書一九四二年有〈題某氏集〉七律一首，專為評汪詩而作，值得全引於下：

掃葉吞花足勝情，鉅公難得此才清。
微嫌東野殊寒相，似覺南風有死聲。

孟德月明憂不絕，元衡日出事還生。
莫將愁苦求詩好，高位從來識易成。

一九四三年春季正值汪氏六十歲，陳群（人鶴）為他刊印了《雙照樓詩詞藁》，負責編校的是龍榆生（沐勛），世稱「澤存書庫」本（見龍沐勛一九四七年跋陳璧君手抄本《雙照樓詩詞藁》，收在本書「附錄三」），錢與龍時相過從（見錢氏一九四二年〈得龍忍寒金陵書〉），所讀汪集必龍氏贈本無疑。關於全詩的旨趣已有人討論過了，限於篇幅，不能詳及。（參看劉衍文〈《石語》題外絮語．雙照樓主〉，《萬象》第六卷第一期，二〇〇四年一月，頁一〇—一五）下面我只想提出兩點看法。第一，「鉅公難得此才清」其實和上引陳寅恪詩句所表達的是同樣的意思，即高度稱賞汪的詩才；不過因為錢當時是在淪陷的上海，只能用中立性的「鉅公」而已。第二，錢詩頷頸兩聯特別點出汪詩的特色，如「寒相」、「死聲」、「憂不絕」云云，而歸結於「莫將愁苦求詩好」。「愁苦」自是汪晚年詩詞的一個顯著特色，但是簡單地把「愁苦」看作僅僅是為了「求詩好」而特別製造出來的，則對汪精衛有欠公允。從我所接觸到的一切內證、外證、旁證等來看，我始終認為汪詩的「愁苦」主要是他內心「愁苦」的折射。為了證成這一論點，我們必須從詩轉向內心活動，對他為什麼不惜自毀生平與日本謀和，求得一個比較合乎情理的了解。

首先必須指出，汪之一意求和是建立在一個絕對性預設之上，即當時中國科技遠落在日本之後，全面戰爭一定導致亡國的結局。因此他認為越早謀得和平越好，若到完全潰敗的境地，那便只有聽征服者的宰割了。但這一預設並非汪精衛一人所獨有，而代表了當時相當普遍的認識。讓我撇開複雜的政治界，從學術界中選一位比較客觀而冷靜的史學家——陳寅恪——作為代表，以說明問題。吳宓在一九三七年七月十四日的日記中說：

> 晚飯後，七—八與陳寅恪散步。寅恪謂中國之人，下愚而上詐。此次事變，結果必為屈服。華北與中央皆無志抵抗。且抵抗必亡國，屈服乃上策。保全華南，悉心備戰；將來或可逐漸恢復，至少中國尚可偏安苟存。一戰則全局覆沒，而中國永亡矣云云。（《吳宓日記》，北京：三聯，一九九八，第六冊，頁一六八）

同年七月二十一日又記：

惟寅恪仍持前論，一力主和。謂戰則亡國，和可偏安，徐圖恢復。（同上，頁一七四）

這是吳、陳兩人在「七七」事變發生後的私下議論，陳氏兩次都堅持同一觀點，可見他對此深信不疑。他之所以斷定「戰則亡國」顯然是因為中國當時還沒有足以抵抗日本的武力。正如一九四四年年底胡適在美國一次講演中所說的：

中國在這次戰爭中的問題很簡單：一個在科學和技術上都沒有準備好的國家卻必須和一個第一流軍事和工業強國進行一場現代式的戰爭。The problem of China in the war is simply the problem of a scientifically and technologically unprepared country having to fight a modern war against a first class military and industrial power.（見《胡適日記全集》第八冊，台北：聯經，二〇〇四，頁二

（三）

這也是為什麼胡適在很長一段時期內力主與日本正式進行和談，直到一九三七年上海「八・一三」戰事爆發之後才開始修改他的觀點。（見《日記》第七冊，頁四七三，一九三七年九月八日條）

陳寅恪的話是許多人心中所同有，但很少人敢公開說出來，因為當時民族激憤高昂，一聽見有人主「和」便群起而攻，目之為「漢奸」了。事實上，和或戰不過是一個民族在危機關頭如何救亡圖存的兩種不同手段，都可以出於「愛國」的動機。陳寅恪後來在淪陷的香港所表現的民族氣節充分說明了他主和正是為了使中國免於「全局覆沒」，然後再「徐圖恢復」。同樣的，汪精衛在抗戰初期的主和也應作如是觀。

關於汪精衛因求和而引發的內心痛苦，最近《陳克文日記》刊布，是前所未見的第一手史料，下面將擇引幾則，以見一斑。陳克文（一八九八—一九八六）曾參與所謂「改組派」，屬於汪系，至一九三八年底「艷電」發表後始與汪氏正式分手。「七七」事變時他在行政院參事任上，與汪氏過從甚密，且極得其信任。《日記》一九三七年十一月七日條載：

九時驅車往謁汪先生。……先生狀甚憂鬱嚴肅，知為時局吃緊所擾。（見陳方正編校《陳克文日記輯錄》（六），刊於《萬象》第十二卷第八期，二〇一〇年八月，頁四七）

所謂「時局吃緊」指「八．一三」上海之戰已潰敗，南京也將棄守而言。汪此時通過周佛海、高宗武等與日本有所接觸，已露出別樹一幟以求和的意向。《日記》同月十八日條云：

上午八時，到陵園見汪先生，先生及夫人、女公子等均在坐。大家面上，都罩上一重憂慮之色。見面後，先生指示地圖，說明政府遷往重慶，及軍事機關遷往長沙、衡陽之意。問以外交形勢，先生搖頭嘆息，謂友邦雖有好意，但我方大門關得緊緊的，無從說起。又說，現時只望大家一心一意，支持長久，這些且勿向外宣露。停一會又說，從前城池失守，應以身殉，始合道德的最高觀念；今道德觀念不同，故仍願留此有用之身，為國盡力。言下態度至沉著堅決。見面約一小時，先生說話極少，俯頭踱步，往來不已，先生精神之痛苦大矣。（《日記輯錄》〔七〕，《萬象》第十二卷第十期，二〇一〇年十月，頁四七）

這是政府撤離南京前兩三天的情況，汪的「憂慮」更深，內心「痛苦」也更大了。日記所說「友邦好意」則指德國駐華大使陶德曼居間斡旋和平事，汪即直接參與者之一。（見《萬象》第十二卷第八期，頁四五—四六，十月三十一日條）但由於蔣介石不肯鬆口，所以他抱怨「我方大門關得緊緊的」。最後他以「沉著堅決」的態度強調繼續「為國盡力」，其實即是決心求和的一種暗示。因此一個月後在漢口（十二月十九日）《陳克文日記》中有以下一段紀事：

晚飯後到商業銀行附近汪先生寓所，以委員長紀念週中之演說詞大要相告。（按：蔣在演說中強調「抗戰到底，決無妥協之可能」云云）先生言，此蔣先生鼓勵群眾之言也。先生旋以午後與委員長討論時局之綱要見示，並云，余非敢動搖蔣先生之決心，弟（即「但」）有決心而無辦法，徒供犧牲耳。綱要若干則，最重要者認為，敵人軍事勝利後將控制我之經濟與財政，以中國人之錢養中國之兵以殺中國之民。對今後的危機，可謂指陳痛切，惟積極之辦法若何，亦尚付之缺如。臨別先生誡云，余與蔣先生所討論者，慎勿告人，余謹應曰唯。（《日記輯錄》〔八〕，《萬象》第十二卷第十一期，二〇一〇年十一月，頁八四）

汪氏的「綱要」主要是為他的和平主張提供一種立論的根據，其弦外之音是說：中國如改「戰」為「和」，雖暫時受到委屈，卻可以阻止日本取得全面「軍事勝利」，如此則隨之而來的一連串的可怕後果便可以避免了。很顯然的，汪是想以戰敗的嚴重後果來打動蔣介石，逼他改變政策，然而並未奏效。

這裡我還要指出一項重要事實，即汪精衛的主和最早是以秘密方式向蔣和國民黨領導階層提出的，並非以他個人為和談主體。一九三九年一月四日汪覆孔祥熙（時為行政院長）信中說：

弟此行目的，具詳艷電，及致中常、國防同人函中，無待贅陳。弟此意乃人人意中所有，而人人口中所不敢出者。弟覺得緘口不言，對黨對國，良心上，責任上，皆不能安，故決然言之。前此秘密提議，已不知若干次，今之改為公開提議，欲以公諸同志及國人，而喚起其注意也。（引自朱子家〔即金雄白〕《汪政權的開場與收場》，香港：春秋雜誌社，一九五九，第一冊，頁二〇）

這一段話完全是事實，而且除蔣之外，其他黨內領袖與汪立場相同者也大有其人。周佛海一九三七年十一月十八日的日記說：

（高）宗武來，謂昨晚與孔祥熙、張岳軍（群）談，時局仍有百分之一轉機；今日上午，再與孔及汪一談。為之稍慰。（《周佛海日記全編》，北京：中國文聯出版社，二〇〇三，上冊，頁九四）

可知孔祥熙、張群等都是傾向於和談的。胡適一九三八年十一月八日有一條日記說：

晚上詠霓（按：翁文灝）來一電，說國內有「一部（分）人鑒於實力難久持，願乘此媾和」。（《胡適日記》第七冊，頁六一八）

同月十二日又記翁的電報云：

是答我的佳電（按：指十一月八日電報），說汪、孔甚主和，蔣「尚未為所動」。（同上，頁六一九）

主和派在黨內忽然抬頭，是因為十月二十二日廣州陷落，再過五、六天武漢又陷落，軍事上已呈崩潰之勢。但是由於蔣「未為所動」，主和派最後還是沉寂了下去。

在中央政府完全關閉了與日本直接談和的大門以後，汪才決定親自出面和日本進行另一輪的秘密交涉。《周佛海日記》一九三八年十一月二十六日載：

八時起。（梅）思平由港來，略談，即偕赴汪公館，報告與（高）宗武赴滬接洽經過，並攜來雙方簽字條件及近衛（按：即日本首相近衛文麿）宣言草稿，商至十二時始散。飯後午睡。三時起。四時復至汪公館，汪忽對過去決定一概推翻，云須商量。余等以冷淡出之，聽其自決，不出任何意見。（上冊，頁二〇一）

第二天（十一月二十七日）周又記：

五時偕思平赴汪宅，與汪先生及夫人商談。汪先生忽變態度，提出難問題甚多。余立即提議前議作罷，一切談判告一結束。汪又轉圜，謂簽字部分可以同意，其餘留待將來再商，於是決定照此覆電。經數次會談，抑（益）發現汪先生無擔當，無果斷，作事反復，且易衝動。惟茲事體大，亦難怪其左思右想，前顧後盼也。（同上，頁二〇一——二〇二）

這兩條記事是關於汪氏心理狀態的直接史料，極為重要。但這裡必須先對記事的背景作一簡單交代。一九三八年十一月十二和十三日，梅思平、高宗武分別來到上海，和日方負責人影佐禎昭與今井武夫舉行秘密談判。最後在二十日簽訂了《日華協議記錄》及《諒解事項》。雙方擬定了計畫，一方面，近衛文麿發表關於「調整中日邦交根本方針」的宣言；另一方面，汪精衛則公開響應，然後再直接與日方進行談判。為了做到這一點，汪和他的追隨者便必須脫離重慶，逃至中國境外。（參看《周佛海日記》上冊，頁一九九，編注三）從上引周的兩條日記可知，梅思平從上海回到香港後，立即趕到了重慶，向汪報告與日方交涉的具體結果，並商討如何離開國境的問題。

這裡最值得注意的是：汪在一連兩天的集會中都表現出徹底推翻前議的意向。他也許對兩個談判文件——《日華協議記錄》和《諒解事項》——不滿意，也許感到日本不可信。無論如何，這時（十一月二十六、二十七日）離他出走河內（十二月十九日）只有三星期，而仍猶豫不決如此，則內心之衝突與痛苦，已可想見。

甚至在政權即將建立之際，汪仍然內心充滿著悲苦，而未露出半點興奮的情緒。茲再舉兩個例子以為證明。其一，馬敘倫一九四五年八月二十九日在上海拜訪陳陶遺，後者說出了下面的故事：

二十九年（一九四〇），精衛至上海，亟欲訪我。我因就之談，問精衛：「是否來唱雙簧？」精衛即泣下。我又問：「此來作為，有把握否？」精衛亦不能肯定。（見馬敘倫《石屋續瀋．記汪精衛與張靜江書》，引在劉衍文〈《石語》題外絮語．雙照樓主〉一文中，頁三一）

陳陶遺是政治和實業界的耆宿，又和汪私交很深，馬敘倫所記則是親見親聞的事，所以這條史料大致反映了汪初回上海時期的心情。

其二，《周佛海日記》一九四〇年三月十九日記：

七時起，陪汪先生謁（中山）陵，淒雨苦風……汪先生讀遺囑，聲淚俱下，余亦泣不成聲。（上冊，頁二六五）

這是在所謂「還都」（三月三十日）前十一天的事，汪卻仍然深陷在悲苦的情緒之中。

以上我從汪精衛自「八・一三」以來力主和議一直下溯到一九四〇年他在南京建立政權的前夕，在這一過程中，我特別注重他的心理狀態，就我所能收集到的可靠證據作判斷，我只能得到下面這個看法：由於確實相信「戰必亡國」，因此他一意求和，不惜以一定程度的委屈與妥協為代價。他在一九四四年十月口授的遺書中說：

對日交涉，銘嘗稱之為與虎謀皮，然仍以為不能不忍痛交涉……（〈最後之心情〉，收在朱子家《汪政權的開場與收場》，香港：春秋雜誌社，第五冊，一九六四，頁一五九。按：此文曾有過爭論，但我反復推究，承認其真實性，至少它十分真實地反映了汪的晚年「心情」）

他明知「與虎謀皮」，卻仍堅持應「忍痛」為之，這正是他晚年心理長期陷於愁苦狀態的根源所在。這裡讓我重引〈舟夜〉七律的後半段：

良友漸隨千劫盡，神州重見百年沉。

淒然不作零丁嘆，檢點平生未盡心。

讀了上引有關汪的種種心理描述之後，我們現在不能不承認，這幾句詩把他內心最真實的感受和盤托出，而且其委婉方式也達到了藝術的高度。我還要介紹他在《三十年以後作》中最後一首詞——〈朝中措〉——「重九日登北極閣，讀元遺山詞至『故國江山如畫，醉來忘卻興亡』，悲不絕於心，亦作一首」：

城樓百尺倚空蒼，雁背正低翔。滿地蕭蕭落葉，黃花留住斜陽。闌干拍遍，心頭塊磊，眼底風光。為問青山綠水，能禁幾度興亡？（按：汪氏詞稿原跡影印本收在《汪政權的開場與收場》第一冊第二頁。「眼底風光」之「風光」兩字，原擬作「滄桑」，但「桑」字尚未寫，即改成「風光」了。其實「滄桑」更為寫實，但出自汪的筆下，未免過於難堪耳）

此詞作於一九四三年重陽，即公曆十月七日，再過兩個月他開刀取出背部子彈，發現已患脊骨瘤，次年十一月十日便病死於日本名古屋醫院。所以這首〈朝中措〉很可能是他詞中絕筆。這時他出任所謂「國民政府主席」已三、四年，而詞中流露出來的思想和情感竟和亡國詩人元遺山如出一轍。但是如果細讀他的遺書〈最後之心情〉我們便不能不承認，這首詞正是他當時「心情」的忠實寫照。一句話說到底，汪的詩詞基本上可以用「詩言志」或「言為心聲」來加以概括，其中所呈現的「愁苦」絕不可能是為了「求詩好」而偽裝或誇張出來的。（陳克文也認為汪最後幾年詩詞表現了精神上的「創痛」，見〈時代洪流一書生——陳克文日記〉附錄十二〈憶陳璧君與陳春圃〉中「獨行踽踽最堪悲」一節）

以上關於汪精衛心路歷程的反覆論證並不是為他翻案，價值判斷根本不在我的考慮之內。我的唯一目的是通過心理事實的建立以理解他的詩詞。現在我要引一二反面的例證，與汪的心理狀態作對照。周佛海主和的正面理由，從他的日記來看，與汪精衛幾乎完全一致。他在日記中又記下了國民黨同仁的共識：「咸以如此打下去，非為中國打，實為俄打；非為國民黨打，實為共產黨打也。」（《周佛海日記》一九三七年十月六日條，上冊，頁七九）這也和汪精衛預言戰爭「必將使中共坐大」，如出一轍。（此一問題這裡不能展開討論，但讀者可參看胡文輝關於陳寅恪〈阜昌〉詩「一局收枰勝屬誰」句的長注，《陳寅恪詩箋釋》，廣州：廣東人民出版社，二〇〇八，上冊，頁二〇二—二〇四）所以我們大致可以斷定，在早期避戰求和的階段，周的主要動機也出於對亡國的恐懼，與汪氏似無大異同。然而到了後期在日本羽翼下建立政權的階段，周的個人企圖心便在不知不覺中，流露出來了。《周佛海日記》一九四〇年一月二十六日條：

八時半起。與（梅）思平商擬各院部院長、部長人選，因擬行決定，因與思平戲言，中央政府即於十分鐘之內在余筆下產生矣。（上冊，頁二三七）

這是汪精衛、周佛海等等在青島與北平、南京兩個偽組織會商後得到日方認可，準備成立所謂「中央政府」，由周佛海負責擬定人選。周的「戲言」其實即是得意忘形的輕佻表現。同年三月三十一日，即偽國民政府「還都典禮」的第二天，周又寫道：

四時返寓，犬養（健）、伊藤（芳男）來談。一年努力竟達目的，彼此甚為欣慰，大丈夫最得意者為理想之實行。國民政府還都，青天白日滿地紅重飄揚於石頭城畔，完全係余一人所發起，以後運動亦以余為中心，人生有此一段，亦不虛生一世也！今後困難問題固多，僅此亦足以自豪。（《日記》上冊，頁二七三）

這一番自言自語不但把他得意忘形的輕狂心理發揮到了極致，而且更暴露出他推動偽政權的建立主要是為了實現個人的權力野心（「以後運動亦以余為中心」）。同年五月三日的日記恰好提供了一個最生動也最有趣的例證：

> 劉復之算命，謂余於五年內握大權，四十九以後備位咨詢，為之心冷。迷信雖不足恃，然劉於六年前謂余必長財政，今果爾，亦奇矣。如余僅能當權五年，何必如此焦心勞力耶？（《日記》上冊，頁二八八—二八九）

算命先生預言他僅能「當權五年」，他大失所望，頓時心灰意懶，其權力欲之大，可以想見。但是換一個角度看，這位算命先生的靈驗也實在令人驚異。我猜想劉復之也許已算出他四十九歲以後將有牢獄之災，不過不便明言，只好以「備位諮詢」四字搪塞過去罷了。無論如何，這不失為一個很有趣的插曲。

周佛海「握大權」後的興高采烈和汪精衛居「高位」而依然滿懷「愁苦」形成了鮮明的對比。但若以羅君強和周佛海加以比照，則後者又好像高不可攀了。羅是周一手扶植起來的人，後來汪政權中曾出任偽司法部長、安徽省長、上海市秘書長等要職。抗戰爆發時他是行政院秘書。陳克文一九三七年十二月十七日記載了他在漢口的一次談話如下：

軍委會秘書廳秘書羅君強亦即行政院秘書到四明銀行敘談。虧他發出如下的議論，他說：「日本人在北平成立新組織，多般利害，影響必定不少。如今我們可以隨意選擇我們的去處，哪一處待遇好，我們便到哪一處，橫豎都是中國人的統治，又何必分彼此呢？」……這段話似乎是說笑，又似乎不是說笑，介松、彥遠聽了都很生氣。我最擔慮的倒不是君強個人是否有此思想，所怕的真有許多人會如此動搖起來。（《陳克文日記輯錄》〔八〕，《萬象》第十二卷第十一期，頁八三）

事後我們當然知道，這是羅君強的由衷之言，絕非「說笑」。但具有這樣想法的人在汪政權參與者之間恐怕相當普遍，代表了當時典型的所謂「漢奸」言論。我們必須跳出羅君強以至周佛海的思想層次，然後才能開始探索汪精衛的「最後之心情」及其晚年的詩詞。這是我深信不疑的。

我這樣說並不是特意抬高汪精衛，否認他的政治取向與活動後面也有個人的動機。傅斯年在一九四〇年二月曾分析過汪的「犯罪心理」，認為由於汪是「庶出」，父兄之教又嚴，以致很早就形成了一種要做「人上人」的強烈心理。他又特別提到，陳璧君恰好也是一個「人上人」欲望最強的人，因此終於走上了「漢奸」、「賣國」的道路。（見〈汪賊與倭寇——一個心理的分解〉，收在《傅斯年全集》，台北：聯經，一九八〇，第五冊，頁二二九—二三六）傅斯年富有民族熱情，全文下語極重，見仁見智，可不深論。他關於「庶出」的心理分析是否可信，因資料太少，也只能懸而不決。但他所指出的「人上人」心理，卻指示了一個正確的探求方向。他論陳璧君時有下面一句微妙的話：

> 漢光武的時代，彭寵造反，史家說是「其妻剛戾，不堪其夫之為人下」，陳

璧君何其酷似！（同上，頁二三二）

這句話之所以微妙，是因為原文（《後漢書》卷十三〈彭寵傳〉）只說「而其妻素剛，不堪抑屈」，並無「其夫之為人下」語。我相信傳之增字解經是為了要點出汪不甘被蔣介石壓成黨內第二人這一事實。我們都知道，在抗戰前的南京，蔣主軍、汪主政，大致尚是分庭抗禮的形勢。然而抗戰發生以後，蔣不但獨攬軍與政，而且更進一步正式占據了黨的最高地位。一九三八年三月二十九日國民黨在武昌召開臨時全國代表大會，建立了總裁制，以蔣為總裁，汪則副之。以汪在黨內的歷史而言，這是相當使他難堪的。所以嚴格地說，這不是汪氏夫婦要爭做「人上人」的問題，而是汪受不了「人下人」屈辱的問題。關於這一點，當時人無不了然。馬敘倫說：

汪、蔣之隙末凶終，以致國被侵略後，精衛猶演江寧之一幕，為萬世所羞道，受歷史之譴責。在精衛能忍而不能忍，而介石不能不分其責。觀介石後來之於胡展堂（漢民）、李任潮（濟琛）者，皆令人寒心；則精衛之鋌而走險，

甘心下流，亦自不可謂非有以驅之者也。（《石屋續瀋》，引在劉衍文前引文，頁三〇——三一）

這就是說，蔣的唯我獨尊必須對汪之出走負起很大的責任。

另一方面，陳璧君在汪建立政權方面所起的作用也遠比外間所傳為大。陳克文是很感念陳璧君的人（見陳方正編校《時代洪流一書生——陳克文日記（一九三七—一九五二）》，台北：中央研究院近代史研究所，即將出版，一九四七年一月十九日條），卻也在《日記》中一再記下了陳璧君的負面行為，而且其來源都出於與汪氏夫婦關係極深的人。（如一九四五年四月八日條記云：「汪精衛之事敵冤死與伊（按：陳璧君）之關係最大。」）但最直接可信的證據則是由周佛海提供的。一九四四年八月十日周專程到日本名古屋醫院探望汪氏的病，記他與陳璧君的談話云：

出與汪夫人談一小時。余表示行政院長及軍委會長，仍以代行為宜，不必代理，汪夫人似乎心安。蓋其意，恐余與公博盼正式代理，真不知吾兩人真意，

而以權利之徒目吾兩耳。（《周佛海日記》下編，頁九〇九）

此時去汪死僅三個月，陳璧君仍唯恐大權旁落，在交談中逼得周佛海聲明只是「代行」而不是「代理」。這一定是陳璧君自己的主張，絕不代表汪有此顧慮，因為汪在一九四四年三月三日赴日治療登機前的親筆手令即明言「職權交由公博、佛海代理」，他並未用「代行」字樣。（見《汪政權的開場與收場》第二冊卷首影印本）

汪精衛也有個人的動機，這是不成問題的。不過比較地看，他對亡國的憂慮的確占據著主導的成分。胡適在聽到汪的死訊時也提出了一個心理分析，但與傅斯年的觀點有所不同。他說：

精衛一生吃虧在他以「烈士」出身，故終身不免有「烈士」的complex。他總覺得，「我性命尚不顧，你們還不能相信我嗎？」性命不顧是一件事，所主張的是與非，是另外一件事。此如酷吏自誇不要錢，就不會做錯事，不知不要錢與做錯事是兩件不相干的事呵！（《胡適日記全集》卷八，一九四四年十一

月十三日條，頁二〇〇）

「烈士」情結確實存在於汪的識田之中。不用說，這一情結遇到國家危亡關口必然首先被激發起來而變成行動的原始力量之一，汪的主和與出走即由此開始；然後配合著其他內外因素，終於演出一幕歷史悲劇。

在我的認識中，汪精衛在本質上應該是一位詩人，不幸這位詩人一開始便走上「烈士」的道路，因而終生陷進了權力的世界。這樣一來，他個人的悲劇便注定了。現在我決定要把他搬回詩的世界，所以下面引他一九二三年一封論詩的信，以為序文的終結：

適之先生：

接到了你的信，和幾首詩，讀了幾遍，覺得極有趣味。到底是我沒有讀新體詩的習慣呢？還是新體詩，另是一種好玩的東西呢！抑或是兩樣都有呢？這些疑問，還是梗在我的心頭。

只是我還有一個見解，我以為花樣是層出不窮的，新花樣出來，舊花樣仍然存在，誰也替不了誰，例如曲替不了詞，詞替不了詩，故此我和那絕對主張舊詩體仇視新體詩的人，固然不對，但是對於那些絕對主張新體詩抹殺舊體詩的人，也覺得太過。

你那首看山霧詩，我覺得極妙，我從前有相類的詩，隨便寫在下面給你看看。

曉煙

槲葉深黃楓葉紅，老松奇翠欲拏空。
朝來別有空濛意，都在蒼煙萬頃中。
初陽如月逗輕寒，咫尺林原成遠看。
記得江南煙雨裡，小姑鬟影落春瀾。

你如果來上海，要知會我一聲。

祝你的康健

兆銘　十月四日

這封論新舊體詩的白話信收在《胡適日記》中（第四冊，頁一一五—一一六，一九二三年十月七日條），信中所引〈曉煙〉二首收在他的《小休集》卷上，第一首末句第一字「都」在集中改作「只」字，別無異文。這封信似乎還沒有受到注意，但它讓我們看到在純粹詩世界中的汪精衛，這是很可珍貴的。

二〇一二年二月六日於普林斯頓

（原載《雙照樓詩詞藁》，天地圖書有限公司，二〇一二）

《南京大屠殺：歷史照片中的見證》序

《南京大屠殺——歷史照片中的見證》一書的出版，為日本軍國主義侵華史保存了一部生動而翔實的史料，這是中國現代史學史上一項成就。

讓我先對本書的史學價值做一簡要的介紹。本書並不是用「剪貼」方法寫成的編纂之作，它實已包括了現代史學的主要成分。首先是它儘量取材於第一手的歷史原料，其中有美國、德國、日本的檔案，侵華日本軍人的日記，當時各國的新聞報導，東京法庭的審判紀錄，以及倖存者的證詞和回憶等。其次是本書在描述過程中，參考了大批有關南京屠殺的史學專著。

作者和編者的史才有兩個突出的表現：他們從大量的史料中挑選出若干有意義的專題，分九個章節作有深度的整理，故令書綱舉而目張，此其一。整體的敘事完全建立在客觀的證據上，而且行文明白流暢，此其二。

由於作者和編者具備了現代史學家的批判精神，本書因此也獲得了不少新的發現。舉兩個例子便足夠說明這一方面的成就了：

第一，通過仔細的時間推算，本書確定了主持南京大屠殺的元兇是日本天皇的叔父朝香宮鳩彥，而不是被處死刑的松井石根。第二，關於南京大屠殺的人數，一向很有爭議。現在本書一方面根據新出資料，一方面根據屠殺前後南京人口的統計和屍體掩埋的紀錄，徹底證實了三十六萬的數字絕不誇張。這個問題可以說已完全澄清了。因此本書不僅是一部具有四百多幀珍貴歷史照片的、圖文相互印證的資料彙編，而且還給未來的史學家提供了許多深入研究的線索。

中國近百餘年來的歷史是一部「內憂」和「外患」交織而成的歷史。「內憂」自然是中國人自己造成的，「外患」則是指世界各大強國對中國的種種侵略。「內憂」和「外患」是不可分割的，像「雞生蛋，蛋生雞」一樣，我們已很難判斷究竟哪一個是「因」，哪一個是「果」了。但是我們卻可以很肯定地說：在一切「外患」之中，日本侵華對於中國的現代命運發生了決定性的作用。在十九世紀的九十年代，中國剛剛開始現代化的建設的階段，日本發動了第一次的侵略戰爭——所謂「甲午戰爭」，把中國的最早一些現代化的基礎整個摧毀了。在二十世紀三十年代，中國又再度開始了現代化的建設，但也就是在這個關鍵性的時刻，日本軍國主義又發動了規模更大的侵華戰爭，先是一九三一年的「九一八」事變，繼之則有一九三七年的「七七」事變。中國又失去了轉化為現代文明國家和公民社會的機會。

六十年來，日本的一般人民和知識分子雖然對日本軍國主義的暴行時時流露出悔恨之情，但日本的政客——特別是執政的政客——卻從來沒有勇氣承認以往侵略的罪過。一九九五年七月二日大江健三郎在《紐約時報周刊》上發表了一篇文章，英譯的題目是〈否認歷史使日本陷於癱瘓〉。他指出，日本必須面對過去的罪過，徹底悔悟，向受難的亞洲各國人民，該道歉的便道歉，該賠償的便賠償。只有如此，日本才能洗淨自己的靈魂，重新抬起頭來，做亞洲各國的一個堂堂的鄰居。現在由於日本表面倔強，而內心慚怍，在國際正義上，完全挺不起腰來。大江這一番話是很深刻的。

中國是一個善忘的民族，這一部《南京大屠殺》也許可以喚醒中國人的痛苦記憶。當然，我們更盼望這部畫冊也可以激發日本民族的集體良知。

（原載《南京大屠殺：歷史照片中的見證》，Innovative Publishing Group，一九九七）

《從五四到河殤》代前言

——開幕詞

我們這次召開關於「文化中國」的討論會，有其特殊的意義。這個意義就在於，中國改革開放十年來，在文化、政治、經濟、思想、文學等方面湧現出的許多精英分子，現在都集中到這裡來了（當然這不是說就沒有別的人了，大量的人才在中國還多得很，但他們或者是不能出來，或者是不能說話，大都處於被動的冬眠狀態。）

他們在過去十多年二十多年來，甚至像劉賓雁先生這樣年紀較大的一代，他從三、四十年代就開始參加了中國共產黨的革命運動，在某種意義上說，他們都是歷史創造者，是製造歷史的人，而不是寫歷史的人，像我頂多是寫歷史的，但是不會製造歷史。這有很大的不同。寫歷史的人是旁觀者，而參加歷史活動的人，是創造歷史的人。創造歷史的人，有時候也可以寫歷史，那是在暫時不能創造歷史的時候。所以現在許多中國精英都是因為這個原因跑到西方來了。

我們普林斯頓大學非常幸運，能有一些很重要的人物在這裡。他們每個人都在其特殊範圍之內有傑出貢獻。沒有他們的到來，就沒有中國學社。中國學社，我們翻譯為PRINCETON CHINA INITIATIVE。我們認為直譯不很合適，經過學社同仁的共同提議，我們用了這樣一個名義。所謂「學社」，當然表示重要的宗旨是在「學」的方面，是思考、寫作，而不是活動方面。

中國學社成立的背景，大家應有所了解，因此必須做個交代。我特別要提到的是，除了學校當局慷慨地給了我們各種各樣的看得見和看不見的資助之外，如果沒有我們的老朋友，普林斯頓對中國藝術各方面的最支持者——約翰．愛略特先生（Mr. John Elliott），我們就不會有「中國學社」計畫的實現。他慷慨的捐助沒有任何個人目的。是他使這個學社得以成立，使二十多位中國的精英得以來此工作了近兩年的時間。

還應提到的是，幾個月前，杜維明先生曾來普林斯頓，同我們商量關於如何共同舉辦這個會議的事情。結果，在經濟方面，主要是靠杜先生的夏威夷東西中心文化傳播研究所（Institute of Culture and Communication, East-West Center）的支持。他們出錢，中國學社出力，才使這個會議如期舉行。

另外，在這個計畫中，我們的朋友，Miss Lorraine Spiess——孫露瑜女士給了我們特別大的支持。她領導大家無眠無休地工作，因此才有了今天的會議。

讓我在此對他們表示感謝。

當然，還要感謝所有普林斯頓大學同中國研究有關的各學科教授，社會學的、政治學的、藝術方面的等等，沒有他們的共同支持，這個計畫也不會成功。

所以一件事情雖然很小，也是無數人的心血、精力集中合作的結果。尤其從我們這次會議的籌備來看，大家為了會議的成功所做出的奉獻，可說是當年天安門精神的重現。這是一個了不起的進取。我想中國的前途是非常有希望的。

（原載《從五四到河殤》，風雲時代，一九九二）

輯二

《余協中、尤亞賢文集》卷頭語

一九四九年我們全家移居海外，隨身所攜事物本已有限，後因一再遷徙而屢有遺失。因此先嚴和家慈的專書和剪存散篇自始便未能妥善保存。記得在一九五〇年代初的香港，我曾見過幾篇先嚴的報刊文字，都是抗戰時期在重慶刊行的。但是一九八〇年先嚴在美國逝世，這些文字已不在遺物之中。很顯然地，它們已在多次搬家的過程中失去了。

現在承周言先生的全力搜尋，竟將先嚴和家慈已刊之作大體恢復，編成專集，雖非全豹，然已十得八九。站在人子的立場上，我對於周先生不但欽佩，而且由衷感激。作為一個歷史研究者，我則認為這批文獻不失為第一手史料，基本上反映了當時中國對內對外的真實處境，因而也是值得保存和流傳的。

這是我內心深處的確切感受，寫出來和讀者共享。

英時敬誌

二〇一四年六月五日

（本書未出版）

《疏園遺作集存》序

世儀既輯其先祖詠南公疏園遺作，嘗請序於先父協中公。公允為序，未成而公遽歸道山。今世儀復來索序於余，余不敢辭，蓋欲勉成先公之志也。

余生也晚，值亂世，已不及見詠南公。公平生盛德大業，唯於庭趨時得聞其一二。抗日戰事起，余隨家人避難返皖西灊山故里，先後逾八年，嘗於其間數訪公舊居，小樓一楹，有林泉之勝，傲然宿儒精舍，不知其為顯宦別構也。歷經寇亂，藏書已多散佚，然余猶得於壁間瞻仰其手澤，書法酷肖山谷，瘦硬通神，石田以來，未之或先，益想慕其為人。公以科第致身通顯，所至皆有聲而生平事蹟流傳鄉里閭者轉多在其德業相勵之教，荀卿所謂儒者，在本朝則美政，在下位則美俗者，於公徵之矣。

世儀少負奇氣，以國恨家仇之身，抱上馬殺賊之志，毅然投筆從戎，轉戰於蠻烟瘴雨白山黑水之間者十有餘年。忠孝能并，文武兼資，余於今世得一人焉。既而渡海至臺，為豎語所中，幾遭奇禍，賴乃祖餘蔭，鄉賢持護，事終得白，屈指亦已二十載矣。自是以來，棄劍就書，重理舊業，講貫餘暇，不廢吟詠，所為詩文皆能獨造新境，不落恆蹊。余好奇，嘗叩其所遭，則為余縷述事之始末而曾無片語稍涉怨望，余以是知世儀承祖教之深，故胸次坦蕩有如此也。

先公與詠南公同輩而殊齒，自幼即奉公苦學，向道之操為楷模。先公早孤，家道中落，處窮鄉僻壤間，獨學而無侶，其卒能發憤有成者，蓋亦有聞於詠南公之風而起也。故先公生前頗愛重公之文字，今此集所收，即有久藏先公行篋者，疏園詩初、二編原逾千首，喪亂以還，鄉邦文獻掃地以盡，世儀搜求雖力，亦不過存什一於千百，良用慨然。雖然，無傷也。杜陵不云乎，「流落人間者，泰山一毫芒。」使後之讀者，猶能覩杯土拳石而仰泰山之高，則世儀固已無愧於其先德矣。質之世儀以為如何？是為序。

中華民國庚申中秋後三日潛山余英時譔序於美國康州之橋鄉

（原載《疏園遺作集存》，余世儀編印，一九八〇）

《錢穆先生書信集》序

這部《錢穆先生書信集》是為了紀念新亞書院六十五周年院慶而特別編成的。這是一個最適當的構想，讓我首先對兩位編者——黃浩潮和陸國燊校友——致誠摯的敬意。

我讀了全稿，發現全書的百分之七十以上都是我不曾見過的。我不但因此增添了不少關於錢先生和早期新亞的認識，而且更加深了我對於錢先生人格和精神的體會。關於我和錢先生之間的私人情誼，我早已在〈猶記風吹水上鱗〉一文中敘述過了，這裡不再重複。現在我要根據新認識和新體會，說一說我讀本書所收書簡的感想。

我細閱錢先生寫給孫國棟、唐端正兩兄的信，特別感覺到他的情感極其豐富；他不但關懷學生的學術成就，尤其對學生的生活狀態和為人處世，關心備至，體貼到了無孔不入的地步。就我所讀過的現代第一流學人的信札而言，大概祇有梁啟超（任公）和他相近。說到這裡我情不自禁地想起了一九六〇年夏天，錢先生在耶魯時寫給我的一封論學長函，其末尾有這樣幾句話：

又念弟之生活，卻似梁任公。任公在日本時，起居無節，深夜作文，日上始睡，傍晚四五時再起床。弟求遠到，盼能力戒，勿熬深夜，勿縱晏起。心之所愛，無話不及，讓弟當不為怪也。

很顯然地，他深恐我步任公後塵，不能終其天年。我當時讀到這一段話時，熱淚盈眶，感愧交併，至今記憶猶新。

我在〈新亞書院紀念碑銘〉中說：

新亞學規揭櫫以人物為中心之教法，即重人師尤過於經師之意。桂林街時期師生不過數十人，名為學校，實等家庭；師如北辰，弟子則眾星環拱。故經師人師合一，言教身教並施。

「學規」出於錢先生手筆，「經師人師合一，言教身教並施」則是他對於「學規」的實踐。本書〈編後語〉論及書信選擇的準則，特引「學規」第一條：「求學與做人，貴能齊頭並進，更貴能融通合一」，並進一步指出：「錢先生與弟子的書函，對求學的方法及做人的道理，諄諄善導，正是校規的具體演繹……。」兩位編者的看法和我先後如出一轍，使我十分欣慰。錢先生最早當面諄諄告誡我的，學術的創新尚在其次，更重要的是要我做一個堂堂正正的人。這正是「新亞精神」的體現。

最近我偶然在一本書縫中發現了錢先生一九六五年從馬來亞給我的一封親筆覆信，是《全集》中沒收進的。信中涉及錢先生離開新亞前後的一些不愉快經過，這時還不便全文披露。但其中有兩段，一關於新亞研究所，一關於治學方式，則值得介紹出來，以終結這篇序文。

第一段說：

穆之離去新亞乃早所決定，然不謂其演變驟至於此。至研究所之將來則更覺可惜。實則穆自耶魯歸去，即無多餘力放在研究所方面，然終還能成一局面。此下極難設想。……留所研究諸人中亦尚有可希望者。然自中文大學成立，研究員補助金相形之下，較之在學校有課程者，報酬相差過遠。又兼在上之人各以私心為好惡，漸有奔競趨媚之風，日增抑鬱不平之氣，不僅學問不長進，而性情志趣亦日以汙下。此最可悲。若循此心性，恐不過一二年，以前成績即將掃地而盡。穆自離去，心中最感到不安者，惟此一事。然亦無可為計。明春返港，決意退避一旁，不再預聞，以靜待其事變之究竟。此亦無可奈何之一途耳。

這一番話說得十分沉痛，可見他對研究所的關懷之深。據我所知，他最初辭去校長職位時，仍有意留在研究所，指導研究人員繼續從事研究工作。例如他在一年前（一九六四年七月二日）給嚴耕望的信上說：

穆已決意辭職，惟仍留港，當仍在研究所作名義之導師，弟來正可多獲從容商討之機會。（見嚴耕望，《錢穆賓四先生與我》，台北：商務，一九九二，頁八四）

為什麼一年之後錢先生對於研究所竟避之唯恐不及？這是新亞校史上一個有待發掘的大問題，上引信中的一段話在這一問題上具很高的史料價值。

第二段話如下：

讀書作文須寬著期限、猛著工夫。如一書兩日夜可畢，不妨放寬，以三日夜為程，如是則是中間儘多虛閒，可資養息。而臨讀必全神貫注，精力瀰滿。因多虛閒，啟悟與發亦多。以此較之儘在兩日夜趕完，使神疲而智昏，心粗而氣促者，兩兩相較，得失之相距，遠矣！

「放寬程限，加緊工夫」是朱熹的讀書法，但錢先生這裡說的則是他實踐以後的心得，並有具體的引伸。他以此語來指點我，現在我願意公之於世，和讀者一同分享。

余英時序於普林斯頓
二〇一四年十一月十四日

（原載《錢穆先生書信集》，香港中文大學新亞書院，二〇一四）

《蠹餘集：汴梁陳穎士先生遺詩稿》序

我生平沒有養成寫日記的習慣，現在竟想不起來初識陳穎（字穎士）兄是在何年了。他有一首〈神武曲〉（收在第二輯），是集中傑作之一，我當時即曾有過先睹之快。他在此曲的〈序〉中說：「一九五九年己亥秋，客麻州劍橋，衛挺生前輩為縷述徐福入日本建國始末，以原著《神武開國新考》見贈。」據此，可知我們第一次見面大概是一九五九年的秋季。但是另一件事我卻記得很清楚：他認識　先父協中公在前，認識我反而在後，這件事也和衛挺生丈有關。　先父與衛丈是老朋友，常在哈佛燕京圖書館相遇，每遇必長談，每談則必及徐福。這是因為衛丈不但已發表了兩本中文專著，而且還正在撰寫英文本，因此和哈佛的日本史教授賴世和（Edwin O. Reischauer）展開了反覆的論辯。這是當年劍橋轟傳一時的一大趣事。穎士便是在圖書館中同時認識二老的。

穎士後來告訴我：他和　先父交談之後，即覺親切，因為他發現　先父在抗戰前兩年曾在開封河南大學擔任過文史系主任的職位，因而頓生「同鄉」之感。我則告訴他，我是在開封第一次上小學的，而且至今記憶猶新。他聽了，更是高興。穎士和我可謂兩代交情，在我的友人之中是僅有的。

一九五九年穎士已考過博士試，從印第安那大學到劍橋來是為了利用哈佛燕京社的藏書，以完成博士論文的撰寫。他的導師柳無忌先生在中國文學和西方文學兩大領域都有很深的造詣：柳亞子先生是他的父親，因此他擁有家傳的中國詩學；他很早便獲得了耶魯大學英國文學的博士學位，因此在歐洲文學方面更是出色當行。穎士〈賀柳無忌師榮休七律四首〉之二的前四句說：

風騷南社數家珍，記取全唐摘句新。
學涉西洋光藝苑，書窺東觀指文津。

這是對柳先生的忠實描述，一點也不誇張。穎士的文學背景和取向恰好和柳先生極其相似——自幼即浸潤於中國詩詞的傳統，但卻畢業於台灣大學外文系。他在美國竟列身於柳先生門下，真是一種十分巧合的文學因緣。穎士最後選擇中西詩人的比較研究為論文題目，更使人起天造地設之感。我相信他們師徒兩人當時必有「相視而笑、莫逆於心」的欣悅。

我清楚地記得，穎士最早和我談天，幾乎每次都涉及李賀（字長吉，七九一—八一七）和法國詩人波德萊爾（Charles Pierre Baudelaire, 1801-1867），也就是他的比較研究的具體對象。我對於李賀還略知一二，對於波德萊爾則一無所知，只因他談得興高采烈，我的興致也被引起來了。不過我當時剛剛讀過錢鍾書《談藝錄》，錢先生在書中討論了李詩的若干特色，如「長吉賦物，使之堅，使之銳」之類，並提到波德萊爾和其他兩位西方作家，以見「東海西海，心理攸同」；又如長吉論藝，主張「筆補造化天無功」，而波德萊爾也持「潤飾自然，功奪造化」之說。我向穎士提起這一點，他很高興地說，《談藝錄》正是他靈感來源之一。從此我們之間又增添了一個常常碰到的共同話題。

但穎士雖富於學而不是學究，他和我討論詩學主要是在我們初交時期，而且是由他的論文引起的。後來我們相知既久，談鋒便自然轉向彼此都覺有趣的題目，很少再一本正經地作論學語了。穎士和我有不少共同的愛好，如京劇、雀戲、清談、詩詞寫作等則是其中最有吸引力的幾項。因此我們在治學之暇相聚的機會比別人更多。

寫到這裡，讓我略略回顧一下我們當年的一些課餘的消閒活動。在悼念張光直兄的一篇文字中，我曾特別談到一九六〇年起，哈佛人文領域的中國研究生組成了一個定期研討會，大家輪流作學術報告，然後共同討論，往往爭辯得很激烈。（見〈一座沒有爆發的火山〉，收在《情懷中國》，香港：天地圖書公司，二〇一〇）但穎士對這一類學究式的集會，興趣不大，最多參加過一、二次便裹足不前了。他寧可和三、五好友作不拘形跡的稱心之談，而不願受正式會議的拘束。

穎士的詩人氣質特別表現在「從吾所好」的精神上，興致一起，他可以飲酒高談，直到東方既白；我們曾如此度過了不少的長夜。但令我最難忘懷的則是他對京劇的深好。大約是一九六九年前後，經濟學家劉大中先生從康乃爾大學到哈佛來訪問一年。劉先生是一代京劇名票，曾多次登臺。更難得的，他是一位京劇全才，行話叫做「文武崑亂不擋」。他告訴我們，他從六、七歲開始聽戲，便是連著鑼鼓點子和胡琴、二胡等一齊聽的，所以至今還有好幾齣戲，他都能從頭到尾將所有音唱背誦出來。不用說，他的一手胡琴也拉得出神入化，在劍橋住定以後，他便和楊聯陞師、趙如蘭教授張羅著要組織一個京劇俱樂部。楊先生也是菊壇的一位業餘名宿，早在中學時代便和趙榮琛（後來成為程派傳人）等一起學戲。不過他只唱不作，特別愛好言菊朋的唱腔，功力很深。一九五七年他訪問香港，曾在廣播電臺上和名旦章遏雲合唱「三娘教子」，轟動一時。趙如蘭上承元任先生的家學，正在哈佛講授中國音樂史，對於這一天賜良機更是特感興奮。俱樂部便這樣成立了，大致是每隔兩星期在週末聚會一次。

當時穎士在耶魯大學任教，我告訴他劍橋成立了這一俱樂部，他欣喜若狂，立即表示一定參加。如果我的記憶不誤，一九六九－七〇這一學年之內他為了京劇聚會而趕來劍橋，先後不下二十次。從耶魯到哈佛駕車至少需要三小時左右，穎士必在星期六中午趕到，有時在劍橋過夜，但常常是當晚趕回紐黑文（New Haven），興致之高，由此可見。穎士對京劇的造詣很深，無論是做功、唱功、道白或尖團音，他不但都下過功夫而且還十分講究。在聚會中他和劉、楊二老之間往往有深入的討論，讓我這個門外漢大開眼界。我的京戲是從留聲機上聽唱片學來的，因為我的年齡和環境已趕不上觀摩舞臺上名角的表演了。追憶起來，抗戰勝利以後我在瀋陽、北平兩大城市，聽過的戲一共不過六、七次罷了。也許由於是同姓的緣故，我最喜歡的是余叔岩那種蒼涼和低迴往復的韻味。余叔岩留下的十幾張唱片，我是聽得很熟的，但卻從來沒有隨著胡琴伴奏而練唱的經驗。因此一九六九－七〇年度的哈佛京劇俱樂部為我提供了第一次認真學唱的機會；在這一學習過程中，穎士的指點對我有很大的幫助。我最初對於板眼有些把握不住，常發生荒腔走板的情況，多虧穎士在旁為我提示，才慢慢地上了路。又因為我是南方人，對所謂尖團音完全分辨不出來。（據說北方人，特別是山東人，尖團音與生俱來，根本用不著去學。）穎士也很耐心地為我舉例說明。儘管如此，我僅靠硬記，至今仍是知其然而不知其所以然。

我較詳細地回憶了這一段海外京劇因緣，因為這確是我和穎士數十年交遊中最值得珍惜的一段共同文化經驗。當我們同時進入京劇世界之中，竟渾然忘卻身在何處，彷彿和中國文化從來沒有分開過。不用說，這段經驗也深深地印在穎士的心頭，下面這首七律可以為證：

劍橋高會豈無因，等是紅羊劫後身。
撥盡鯤絃清夜永，歌殘驪曲客愁新。
科班戲語呼師傅，朋輩論交誇好人。
最憶大郎婚宴上，阿翁猶自考遺音。

這首詩前半段點出哈佛京劇聚會的緣起和參與者的心境。當時在中國大陸上，所謂「文化大革命」正在如火如荼，京劇則是受盡摧殘的重災區。我們每次在聚會中談到京劇所面臨的悲慘命運，都不勝感慨，穎士以「劍橋高會」為「紅羊劫後身」確實表達了我們的共同想法。「紅羊劫」之典尤為傳神：南宋《丙丁龜鑑》指出，過去有一千二百多年的長時期（自公元前三一五年丙午到公元九四七年丁未），每逢丙午、丁未之交國家必有厄會，稱之為「紅羊劫」。無巧不成書，一九六六，即「文革」開始之年，恰好又值丙午。此詩第四句「歌殘驪曲客愁新」必須通過「紅羊劫」的背景才能透顯出它的整體涵義。

此詩的下半段則是對於大中先生的一幅素描。最後兩句指大中先生的長子婚宴。我們都參加了這場盛會，這位劉「師傅」在席上的談論，句句不離京劇中的音韻問題，而且興致極高，我至今還記得他曾特別提到余叔岩和張伯駒有關這一方面的作品。事後我們都說，大中先生對於京劇，正如「君子無終食之間違仁」一樣，真正達到了「造次必於是，顛沛必於是」的境地，連兒子婚宴這樣大的喜事都不能使他對之有片刻的忘情。但是非常不幸，大中先生在他的人生舞臺上最後竟演出了一齣感人最深的悲劇。一九七五年，健康檢查發現了他的直腸癌已到了末期，割治無效，只好飾巾待盡。不料劉夫人情深義重，決心伴他同行，於是兩人同時服大量安眠藥而死。劉氏夫婦雙雙自盡（double-suicide）是當時驚心動魄的一大新聞，不但美國、台灣、香港等地的媒體爭相傳播，歷久不息，而且《紐約時報》和康乃爾大學附近的地方報紙也作了相當詳細的報導。穎士寫了四首七律，以誌哀思，題為〈悼念劉大中先生病逝夫人殉情之作〉，前面所引的便是四首之二。

接著讓我談談穎士的詩詞創作。這部遺作所收詩詞，最早的寫在一九四三年，那時他可能還不滿十八歲。這些早年作品包括了各種體裁，如七絕、五絕、七律、五律、五古、七古等；而用詞遣字則不僅已臻熟練之境，且時有警策之句。所以早在一九四四年他的〈從軍行〉七古便已在《安徽日報》徵詩入選。一九五二年台灣大學徵詩，他以〈詩人節海上弔屈原〉五律六首榮獲首選，後來又取得《青年時報》「紀念詩人節徵詩特刊」舊詩組第一獎。由此可見，穎士在詩詞創作方面取得卓越的成績，絕非倖致。不但他的先天秉賦和後天功夫都超過同輩，而且這兩者的配合也恰到好處。

正由於穎士的生命本質首先是一位富於創造力的詩人，他和朋友們清談中最顯精采的也是有關詩的寫作。他在這一方面往往論議風生，使人有「咳唾落九天，隨風生珠玉」之感，尤其是在談到他自己的創作的時候。我至今還清楚地記得，一九七二年他從台北回來，告訴我們他寫了〈記蔣桂琴事〉一首長詩。蔣桂琴是一位失去雙腿而靠義肢登臺的京劇名旦，但唱作俱佳，臺步尤見精妙。穎士詩中有「國步艱難奴步穩」等句，他追述寫詩時苦思冥索，終獲靈感的歷程，聞者無不動容。這是因為當時台灣剛剛退出聯合國，處境極為困難，他以「奴步」與「國步」互相照映，自然引起了讀者的共鳴。

穎士雖常常和朋友們談詩，甚至唱和，但我們從來沒有過詩社的組織。這主要因為穎士是唯一認真而又不斷寫詩的人。集中收了幾首他與勞延煊兄和我互相唱和之作，但都成於一九七二年以後，三人之中，穎士可以說是寫詩的原動力；其次延煊則家學深厚，與穎士共事於俄亥俄州立大學後，更是詩律日細，創作也日多。只有我始終徘徊在宮牆之外，不過偶然興到，扮演一下張打油或胡釘鉸，為他們兩位增添一點熱鬧罷了。但重讀集中（第二輯）所收我們之間的唱和，一種溫馨的回憶卻在不知不覺中浮現於心。特別是一九七六年秋季，延煊來哈佛執教，恰好碰到了一個「多事之秋」，無論在公領域或我們生活周邊的私領域中都發生了一些重大的變故。延煊和我不肯放過這些百年難遇的詩料，因此寫了不少或莊或諧的作品。穎士雖不在劍橋，也通過郵遞參加了這一活動；現在收入集中的不過是存二、三於佰仟而已。其所以有此取捨，亦不難推知；蓋私領域中所詠，涉及人事，所謂「只堪自怡悅，不堪持贈君」也。無論如何，集中三人唱和之作將我們當時一段興味盎然的生活保存了下來！

最後，我必須鄭重聲明：我愛重穎士的詩並不僅僅是從私人友情的角度著眼。事實上，這部《蠹餘集》是中國詩的傳統的延續；《集》中所收的詩始自抗日戰爭，中經內戰流亡，最後則歸宿於移居海外，恰恰是最近六、七十年中國歷史的流程（或向度）之一。因此循序誦讀全集，我們不僅陶然於詩藝之中，而且這一段有血有淚的真實歷史也在我們的心頭重演一過。此老杜之所以號稱「詩史」也。是為序。

辛亥百年十一月廿一日　於普林斯頓

（原載《蠹餘集：汴梁陳穎士先生遺詩稿》，允晨文化，二〇一二）

《古鏡記讀法》序

我初識陳珏先生是在上世紀九十年代的普林斯頓大學（Princeton University），那時他正在比較文學系攻讀博士學位。由於他當時從事唐代傳奇的研究，曾從我閱讀有關唐代社會史、文化史的原始資料以及現代文史論著。對於我而言，這是一個最愉快而又在知識上豐收的經驗。陳先生對於中國古典文學的研究既深厚又淵通；他掌握古典語文的能力更是令人驚異，任何艱澀的文本在他手上無不迎刃而解。他兼具分析與綜合的才能，所寫論文，無論短製或鴻篇，都條理分明而創見層出不窮。

由於出身於比較文學，他對西方文學理論和文學批評也兼收並攬，識見宏通。更可貴的是：他雖熟讀西方最新理論，卻持之以批判的態度，絕不肯輕易為時風眾勢所動。所以他兼治西學，只是增強了理解中國文學的理論深度，有百益而無一弊。以上是我們共學時期，陳先生給我留下的深刻印象，所以至今不忘。我當時便斷定他將來在學術上必能遠到。

近十幾年來陳先生努力不懈，一方面認真教學，一方面精勤研究和著述。他的原創性學術成就分別以中文、英文雙管齊下，或為專題之作，單刊成書，或為研究論文，發表在世界各地重要學報之中。我曾讀過他的《初唐傳奇文鉤沈》（二〇〇五），深為傾服，非兼通文史者不能為。我又讀了他所撰有關《古鏡記》英文論文兩篇（皆二〇〇四年刊行），體大思精，其貢獻已超出文學史範圍之外；我以史學家的立場看，他在唐代文化史研究方面已開闢了新的視域。現在《古鏡記》研究告一段落，英文專書即將問世，我聞之十分興奮。此書不僅將為文史專家所愛重，而且一般讀者也會為之傾倒，這是可以斷言的。是為序。

二〇一〇年六月廿九日　於普林斯頓

（原載《古鏡記讀法》，Harrassowitz，二〇一〇）

《李遠哲傳》推薦序

《史記．司馬相如傳》說：

蓋世必有非常之人，然後有非常之事；有非常之事，然後有非常之功。

我讀了《李遠哲傳》書稿，太史公這幾句話自然而然地浮現在我的腦際。

《傳》中的主人翁（按：以下簡稱「傳主」）是一位「非常之人」，這是大家都知道的；隨著這位「非常之人」而來的「非常之事」和「非常之功」也彰彰在人耳目。這部傳記依時序先後，以生動活潑的語言，將傳主其人、其事、其功一一呈現出來；這一成就的本身便是傳記史上一種「非常之功」。

在閱讀全稿的過程中，我一直在追尋一個問題：傳主為什麼會成為一位「非常人」？當然，我最先想到的是傳主的天賦才智，或今天所謂先天基因。這一點在傳稿中有不少跡象可尋：他從小「好奇」，愛「唱反調」，不肯人云亦云地跟著主流走，因此在幼稚園時期已被看作是一個「怪小孩」。不但如此，早在考初中的口試中，他對於「將來想做什麼？」的答案便是「我要當科學家」。在初一班上寫自傳，他更毫不遲疑地表達了「想成為偉大科學家，要以科學救國」的嚮往。

這些早年的突出事蹟都是很值得注意的，但是我並不認為他為什麼成為「非常人」可以從這裡得到滿意的解答。其故有二：首先，這些事蹟所體現的只是傳主的生命潛能，而不是成為「非常人」的可靠保證；其次，根據現代的史學觀點，在傳記中過度重現童年事蹟，往往會淹沒傳主生命成長的實相。當代史學大家彼得·布朗（Peter Brown）在他的名著《奧古斯丁傳》（*Augustine of Hippo*, 1969）中指出：

在古代和中古的許多傳記裡，傳主們好像都沒有以往的歷史，他們童年已顯示種種跡象，將來必將攀躋生命的高峰。

所以他在《奧傳》中，深入而詳盡地追溯了奧古斯丁在生活和思想各方面的發展歷程。

對傳稿記述反覆思考之餘，我發現有一條相關的線索特別值得稍作探索。這是指傳主在童年至少年階段所吸收的某些精神價值而言。這些價值淵源於傳主成長時期的社會和文化，但通過父母訓示、師友交遊、書刊閱讀等等渠道而進入他的意識深處。在這篇短序中，我希望能把這一觀察簡要地交代出來。

傳主是很幸運的，從小便得到父母的刻意培育。他們隨時隨地都在扶植著他的德性成長和智力發揮，讓他在日常生活中逐漸養成一種健康的人生觀；但同時又尊重他的自由意志，使他可以充分地實現自我。傳主後來談到怎樣教育孩子時，說過這樣的話：

孩子對未來有什麼想法，想做什麼，我都尊重。（當年）爸爸媽媽沒有要我們變得很有名或賺大錢，只希望我們做有用的人，對社會有貢獻。

傳主這番回憶在傳稿中到處都能得到印證，這裡只要舉兩個例子便夠了。第一，傳主小學五年級時，由於成績超前，導師對他的父親說，他可以跳級考初中。但和一般「望子成龍」的父親不同，他的父親讓他自己做決定。由於他的興趣多端，不願終日為考試而讀書，終於放棄了跳級的機會。回顧往事，傳主多年後說：「父親很開明，讓我自己決定。」

第二，傳主一九九四年回歸台灣之後，十分忙碌，連探望母親的時間也不多。他的母親只能天天剪下有關傳主一切活動的新聞報導，然後整理收藏起來。

傳稿中有幾句描寫老人家心裡的話，十分動人：

她就反覆細讀剪報，想到他一如她自小教誨的：「不要追求名利，只要做個有用的人，一個頂天立地堂堂正正的人。」就感到安慰了。

傳主一生的操守的基本價值最初來自家教，在此正顯露無遺。

傳主的另一難得的幸運是有一位志同道合的終身伴侶，後者曾這樣剖析自我：

我不喜歡到處玩，也不在乎名利，我可以一個人靜靜地看書，做很多事情，不要人打擾。

這豈不也是「不要追求名利，只要做個有用的人」嗎？沒有這樣的伴侶的長期支援，我們很難想像傳主怎樣能獨自通過那條布著荊棘的「非常人」之路。

讀者也許會說，上面所揭示的基本價值都是很平常的。這話完全正確。這些價值在中國文化中傳衍已久，往往以不同的語言方式表達出來，如曾國藩「只問耕耘，不問收穫」及陸象山「不識一字，也要堂堂做一個人」等語都是顯例。但這些平平常常的價值，一旦與人的精神融為一體，卻能開創出一種完全超越於世俗利害之上的心態，借用禪宗的話，即「平常心」。古往今來，一切在世間立功、立德、立言的「非常人」，其根本動力無不可以溯源到這一超越的「平常心」。

現在讓我們換一個角度，看看傳主從書刊閱讀和師友交遊所得來的關於整體社會的價值取向。

傳主閱讀課外書刊，開始得很早，小學五年級時已看上海出版的《開明少年》。上初中以後，由於特殊的機緣，他竟讀到大批「禁書」和「匪情資料」，其中包括魯迅、郭沫若、巴金等人的作品，甚至還有毛澤東的文字。在他個人的思想進程中，這無疑是一個重大的轉捩點，因為他踏進了「五四」的左翼思潮之中。從傳稿中我們看到：改造社會的抱負貫穿了傳主一生的工作。現在我們可以進一步肯定，這一抱負是從上述的思想躍動中萌生的。課外閱讀怎樣影響到傳主的終極價值取向，我們可以從他另一早年經歷中得到具體的說明。

傳主在初中時候已讀了《居里夫人傳》，對這位偉大科學家的高貴情操，不勝其景仰。但高一那一年，他得了一場病；在休養期間忽然發生了「人生是為什麼？」的根本疑問。就在這苦求解答的當口，居里夫人的光輝典範在他的記憶中浮現出來，終於引導他走出了一次重大的人生困惑。他後來回顧說：

> 我迷惑、傍徨的心靈因此獲得解答。她美麗的、充滿理想與熱愛人類的科學生涯，是我一生中最大的啟示與追求的目標。至此，我立志救國淑世，想竭盡己力，期望對人類社會有所貢獻。

這是一場「大澈大悟」，所以他對自己說：

人生就是要做有意義的事。我不能再像無頭蒼蠅忙著打球、比賽、管樂隊等數不盡的活動，我要過一個有意義的人生，我要成為有用的人，才能對國家社會有貢獻。

他的社會價值取向，至此已完全確定了。「自從一見桃花後，直至如今更不疑。」

傳主「立志救國淑世」雖直接因閱讀和反思《居里夫人傳》而激起，但其更深一層的動力卻必須追溯到「五四」思潮。「五四」運動正式揭出「科學」和「民主」為救國的兩大法門，缺一不可。這一信念當時正在少年傳主的心中生根，而《居里夫人傳》則恰好為「科學救國」提供了一個具體的例證。不過「民主救國」在他的意識中尚處於「明而未融」的狀態，直到幾十年後，才和他改造社會的抱負合成一體。

通讀全傳，傳主一生的事業顯然可以劃為前後兩大階段，而以一九九四年為分界線。兩期的工作重點各有不同：前期是他全心全意獻身於科學研究的階段；後期他則以科學界領導人的身分同時致力於民主社會秩序的建立。他以一人一身竟先後體現了「五四」的雙重理想——「科學」與「民主」，這真是難得一見的歷史佳話。前期人所共知，此不具論。但後期卻應該稍作解釋。

二〇〇一年傳主追憶他從美國回台灣的心理狀態時說：

一九九四年元月，旅居美國三十多年之後，我終於回到我的故鄉。……我離開加州大學的時候，很多化學系同事問我：難道台灣真的那麼美好？為什麼我願意放棄長期建立的穩固基地，捨他們而去？我告訴他們，如果台灣已是美好的地方，我會繼續留在加州大學的實驗室，埋首我的研究工作。台灣雖曾被稱為美麗島，但眼前顯然有許多問題正待大家努力去解決。在全球化、民主化的過程中，台灣確實充滿了挑戰與希望。科學、教育與文化的提升更是迫在眉睫，這也是我為什麼願意接受挑戰，回到我幼時成長的故鄉，與家鄉父老同甘苦。

他的意思再清楚不過了，他回台灣絕不是為了換一個實驗室進行科學研究，甚至也不僅僅是為了「科學、教育與文化的提升」。他是為了接受「全球化、民主化」的挑戰，全方位地將台灣變成一個「美好的地方」。這只能指向一個民主秩序的建立。

事實上，回到台灣以後，他的工作遠遠超越出中央研究院的本職之外；舉凡教育改革（一九九四—一九九六）、「九二一」震災重建（一九九九）、首次政黨輪替（二〇〇〇）、出使太平洋經濟合作會議（APEC，二〇〇二—二〇〇四）等等，他不但一一參與，而且還承擔了主要責任。所以二〇〇〇年五月，美國《科學》（*Science*）雜誌發表評論，一方面讚揚他在短短幾年之內將中央研究院的國際學術地位提升至空前的高度，另一方面則因為他在「九二一」重建和社會改革方面的貢獻而譽之為「台灣的良心」。

改造社會畢竟與科學研究不同，所牽涉的條件無限，一切不由自主。傳主的努力曾因此而遭到種種挫折，可以說是不可避免的。但他的抱負卻始終沒有動搖過。傳主回歸台灣，至今已二十二年。在這二十二年中，一個自由、開放的民主秩序終於在台灣出現，並且日趨於成熟。這當然是整體社會長期奮鬥之所致，不能歸功於任何個人以至團體。但是在這一過程中，我們的傳主通過多方面倡導所發揮的影響力終究是不容隱沒的。著眼於此，傳主一九九四年回歸台灣的歷史意義便朗然展現了。這不禁使我聯想到十九世紀英國神學家兼作家紐曼（John Henry Newman, 1801-1890）的一句名言：You shall see the difference now that we are back again. 胡適的譯文說：

> 現在我們回來了，你們請看，便不同了。

我願意借這句話來結束這篇序文。

二〇一六年十月十八日

（原載《李遠哲傳》，圓神出版社，二〇一六）

《美國東亞圖書館發展史及其他》序

吳文津先生和我相知已近半個世紀。現在為他的文集寫這篇序文，我實在感到無比的高興，因為這恰好給我提供了一個最適當的機會和方式，藉以表達對老友的敬意。讓我從我們友誼的始點——哈佛燕京圖書館——說起。

我初次接觸哈佛燕京圖書館，便得到一次很大的驚異，至今記憶猶新。一九五五年十月我以「哈佛燕京學社訪問學人」（Harvard-Yenching Visiting Scholar）的資格從香港到哈佛大學進修。那時我正在進行有關東漢士族大姓的專題研究，因此行裝安頓之後立即展開工作。我雖然早已聞哈燕社漢和圖書館之名，但是它藏書之完備還是遠遠超出我的預想之外。我在香港多年遍求不獲的書刊，在此一索即得。這是我受惠於哈佛燕京圖書館之始。第二年我進入研究院，它更成為我求知的一個最重要泉源了。

時間稍久，我終於認識到裘開明先生（一八九八—一九七七）作為第一任館長對於哈燕圖書館作出的重大貢獻。哈佛的中、日文藏書之所以在美國大學圖書館系統中長期居於領先的地位，裘先生的功勞最大。[1]所以在哈佛從事中國或東亞研究的人，無論是本校人員或外來訪客，也無論是教授或研究生，多少都對裘先生抱有一種感激的意識。一九六四年費正清、賴世和與克雷格三位哈佛教授將他們合著的《東亞：現代的轉變》獻給裘先生，便清楚地表達了這一意識。[2]我還記得，一九六〇年代初期，我們都非常關注一件大事：裘先生不久將退休了，誰來接替這一重要職位呢？

一九六六年我重回哈佛任教，裘先生已於上一年退休，繼任人則是吳文津先生，於一九六五年就職。吳文津先生前任史丹佛大學胡佛研究所的東亞圖書館館長，以收藏現代中、日資料獨步北美。由一位現代圖書館專家接替一位古籍權威為第二任館長，這是哈佛燕京圖書館的發展史上一件劃時代的大事。我這樣說絕沒有絲毫故甚其辭的意思。經過深思熟慮之後，我現在可以斷定：這件大事之所以具有劃時代的意義，是因為它象徵著美國的中國研究進入了一個嶄新的歷史階段。下面讓我試對這一論斷的根據略作說明，以求證於文津先生及一般讀者。

首先必須鄭重指出，一九二八年登記成立的哈佛燕京學社（Harvard-Yenching Institute）自始便以推動國際漢學（Sinology）為它的主要宗旨之一。因此哈燕社最早的一位諮詢人是法國漢學大師伯希和（Paul Pelliot）；他同時也是創社社長的內定人選。但是他最後不肯接受社長的聘約，轉而推薦葉理綏（Serge Elisséeff）作他的替身。葉氏出自帝俄世家。專治日本古典文學，畢業於東京大學。一九一七年革命後，他移居巴黎，在伯希和門下從事研究，並成為後者的學術信徒。在他的領導

1 參看本書所收〈裘開明與哈佛燕京圖書館〉。

2 John K. Fairbank, Edwin O. Reischauer, Albert M. Craig, *East Asia: The Modern Transformation.* Boston: Houghton Mifflin Co., 1965, p. ix.

下，哈燕社的國際漢學取向便確定了下來。[3]不用說，漢和圖書館為了配合這一取向，書刊的收藏自然也以十九世紀以前的傳統中國與日本為重心所在，而且特別注重精本與善本。在這一取向下，裘開明先生的許多特長，如精確的版本知識以及他與當時北平書肆和藏書家的深厚關係等，恰好都得到了最大程度的發揮。哈佛燕京圖書館終於成為西方漢學研究首屈一指的圖書館中心，絕不是倖致的。[4]

但是從二十世紀中葉起，中國研究這一領域在美國開始了一個劃時代的轉向。這一轉向包含了兩個層次：第一，就研究的內涵說，專家們越來越重視中國的現狀及其形成的時代背景；相形之下，以往漢學家們所最感興趣的傳統中國就受到比較冷落的待遇。第二，就研究的取徑論，人文與社會科學各門的專業紀律獲得了普遍的尊重，而以往漢學傳統中的文獻考釋則退居次要的地位。

為什麼會有這一轉向呢？這當然是因為二戰後中國的局勢發生了翻天覆地的大變化。美國在東亞的處境受到嚴重威脅，以致當時美國朝野都在爭辯「美國為什麼失掉了中國？」的問題。事實上，一九四九年八月美國政府頒布的關於中國的《白皮書》是國務院內外的中國專家集體編寫的，主要根據現代史及檔案來解答「為什麼失去中國」的問題。美國許多第一流大學在一九五〇年代群起向現代中國研究的領域進軍，而且成績輝煌，顯然是因為受到了上述政治氛圍的激勵。

我恰好見證了這一轉向在哈佛大學的展開過程。一九五五年費正清在福特基金會（Ford Foundation）的大力支持下，創建了「東亞研究中心」（Center For East Asian Studies）。我清楚地記得，當年這中心網羅了一批校內外的專家，從事長期或短期研究。他們的專題主要集中在近代和現代中國的範圍之內；其研究成果則往往以專著（Monograph）的形式出版，構成了著名的《哈佛東亞叢書》（*Harvard East Asian Studies*）。[5]

另一方面，由於政府和大學提供了較多的獎學金名額，哈佛研究院（Graduate School）中以現代中國為研究對象的博士生與碩士生也人數激增。他們遍布在人文

3 陳毓賢，《洪業傳》（北京：商務印書館，二〇一三），頁一五九—一六〇。

4 參看本書所收〈哈佛燕京圖書館簡史及其中國典籍收藏概況〉。

5 最早第一本書是二〇一三年四月二十七日過世的費維凱（Albert Feuerwerker）的名著：*China's Early Industrialization: Sheng Hsuan-huai (1844-1916) and Mandarin Enterprise*, 1958.

與社會科學各門之中，因而將中國研究和現代專業紀律有系統地結合了起來。

相應於這一研究轉向，哈佛燕京圖書館的收藏重心也從傳統時期擴展到中國和東亞的現代了。這便是文津先生受聘為第二任館長的時代背景。但為什麼入選的是文津先生，而不是任何別人呢？這是我要接著說明的問題。

事實上，文津先生當時確是最理想的人選，因為在現代中國研究的領域中，胡佛研究所的資料收藏在美國，甚至整個西方，處於遙遙領先的地位，而文津先生的卓越領導則有口皆碑。

胡佛研究所最初以收藏歐洲當代與戰爭、革命與和平相關的資料著名。二戰以後範圍擴大到東亞，分別成立了中文部與日文部。收藏的範圍以二十世紀為限。一九四八年芮瑪麗（Mary C. Wright, 1917-1970）受聘為首任中文部主任，直到一九五九年移講耶魯大學歷史系為止。她是費正清的大弟子，後來以深研同治中興和辛亥革命為史學界所一致推重。在她任內，現代中國的收藏已極為可觀。其中包括一九四六—四七年她親自從延安搜集到的中共報刊、伊羅生（Harold R. Issacs）在二、三〇年代收羅的中共地下刊物、斯諾（Edgar Snow）夫婦所藏有關文獻等。[6]

但胡佛研究所的一切收藏最終匯為一個完備現代中國研究與日本研究的圖書中心，則顯然出於文津先生集大成之功。限於篇幅，他的輝煌業績在此無法充分展示。但邵東方先生在二〇一〇年總結史丹佛大學東亞圖書館發展史，對文津先生的貢獻有一段很扼要的概括，其文略曰：

作為美國華人圖書館長的先驅，吳文津對胡佛研究所的中文收藏做出了巨大的貢獻。一九五一年首任中文藏書館長芮瑪麗聘請他入館工作。一九五六年他已成為副館長。一九五九年芮加入耶魯大學歷史系後，吳則繼任館長之職。（按：「中文藏書館長」也就是「中文部主任」。）一九六一年胡佛研究所決定將中、日文部合成「東亞圖書館」（East Asian Collection），吳則成為第一任館長。在他一九六七年十一月就任哈佛燕京圖書館館長時，吳已將「東亞藏

6 吳文津，〈美國東亞圖書館蒐藏中國典籍之緣起與現況〉，收在淡江大學中國文學系主編《書林攬勝》（台北：台灣學生書局，二〇〇三），頁三三—三五。此文已收在本書中。

書」轉變為美國收藏現代中、日資料的一個主要中心了。（按：吳文津先生就職哈燕圖書館館長時期為一九六五年十月。）就現代中國的資料而言，館中所藏之富在中國大陸和台灣之外，更是屈指可數。[7]

這一概括既客觀又公允，不過僅僅呈現出文津先生在事業方面的一個靜態輪廓。下面我要對他的動態精神略加介紹。

自一九五九年繼任中文圖書館館長，獨當一面以來，文津先生搜求資料的精神才逐步透顯出來。這個精神我無以名之，只有借用傅斯年先生的名言「上窮碧落下黃泉，動手動腳找東西」。事實上，無論是傅先生或文津先生，所發揚的都是中國史學的原始精神，即司馬遷最早揭出的所謂「網羅天下放失舊聞」。文津先生只要聽說任何地方有中國現代研究所不可缺少的重要史料，他便不顧一切困難，全力以赴地去爭取。一個最著名的例子是一九六〇年他在台北拍攝了全部「陳誠特藏」的檔案。所謂「陳誠特藏」是指「江西蘇維埃共和國」的原始資料，一九三〇年代初由陳誠的部隊在江西瑞金地區俘獲得來；運到台北以後，陳把這批資料交給下屬蕭作樑等人整理和研究。一九六〇年四月有兩位美國專家專程到台北，希望獲得閱覽的機會。蕭請示陳誠，得到的批示是：「反共的人士都可以參觀」。但這兩位專家一向有「左傾」的聲名，蕭感到為難，因此求教於當時深受陳誠敬重的胡適。最後胡的答覆是「不妨寬大些，讓他們看看」。[8]

此事發生在文津先生赴台北爭取「陳誠特藏」之前六個多月，二者之間有內在的聯繫。文津先生認識到這批原始資料的重要性曾受上面兩位專家越洋「取經」的影響，這是可以斷言的。不但如此，文津先生也同樣得到胡適的助力。他告訴我們：

---

7 Dongfang Shao in collaboration with Qi Qiu, "Growing Amid Challenges: Stanford University's East Asian Library," in Peter X. Zhou, ed., Collecting Asia: East Asian Libraries in North America, 1868-2008, Ann Arbor: Association for Asian Studies, 2010, p. 182.邵先生寫此文時正在史丹佛大學東亞圖書館館長的任內。

8 胡頌平，《胡適之先生年譜長編初稿》（台北：聯經出版公司，一九八四），第九冊，頁三二四八—九。

為此事一九六〇年第一次來台灣。當時台灣的條件很差，據說攝製縮影微卷的機器只有兩部。一部在中央銀行，一部在中央研究院。那時胡適之先生任中央研究院院長，我去請他幫忙。他一口就答應了。把機器與操作人員都借給我使用。經過兩個多月的時間，把這批將近一千五百多種的資料照成縮微膠卷帶回美國……[9]

但是我相信胡適的幫助並不僅僅限於技術方面。上面提到他關於「不妨寬大些」的主張必曾對陳誠有所啟發，因而無形中也為文津先生開闢了道路。

在爭取「陳誠特藏」的整個過程中，文津先生的基本精神特別體現在兩個方面：第一，他初知台北藏有江西蘇維埃資料，但不得其門而入。稍後偶遇史丹佛大學地質系教授申克（Hebert G. Schenk），曾在台灣負責美援工作，與陳誠相熟。他便毫不遲疑地請申克教授介紹，終於得到複印的許可。可見他在「網羅天下放失舊聞」中寓有一種「求道」的精神，不放過任何一點可能的機會。第二，他說爭取這一套極為珍貴的史料，最初是為了「加強胡佛對中共黨史的收藏」，這是忠於職守的自然表現。然而他對於研究資料卻抱著「天下為公」的態度，不存絲毫「山頭主義」的狹隘意識。因此他後來又取得陳誠的許可，「將這批資料再作拷貝以成本供應美國各大學圖書館以作研究之用」。[10]他的職位在胡佛研究所，但是他同時也為全美所有東亞圖書館提供研究資料。

另外一個類似的例子是他在一九六〇年代中期繼獲得江西蘇維埃資料後去爭取胡漢民一九三〇年代未刊的來往信札事。早時，他得知胡木蘭女士存有她父親一九三〇年代與中國各政要的私人手札。胡漢民為國民黨元老，且為華南地區舉足輕重之人物，這批資料的重要性不言而喻。但與「陳誠特藏」一樣，他不得其門而入。後多方打聽，經友人介紹，得識胡木蘭女士及其夫婿。經數年之交往，來往美國與香港之間，得木蘭女士之信任，允考慮將胡漢民先生之信札寄存胡佛研究所，

9 同注6，《書林攬勝》，頁三六。一九六〇年十一月十日他向胡辭行。見胡頌平，《胡適之先生年譜長編初稿．補編》（台北：聯經出版公司，二〇二五），頁二九六。

10 同上，《書林攬勝》，頁三六。參看本書所收〈《江西蘇維埃共和國，一九三一—一九三四：陳誠特藏文件選輯解題書目》前言〉。

並開放予學者使用但不能複印，而個案研究則必須先得其批准。一九六四年文津先生受聘任哈佛燕京圖書館館長（一九六五年就職），胡女士得知後，頗為躊躇，因不知接任文津先生者為何人，乃建議將胡漢民先生之信札轉存哈佛燕京圖書館，由文津先生保管，使用條件依舊。文津先生喜出望外，欣然應允。於是這批兩千七百餘件信札遂寄存哈佛燕京圖書館。這一批極為珍貴的原始資料，是研究民國史所不可或缺的；後經陳紅民教授編注，並得胡木蘭女士家屬的許可，於二〇〇五年由廣西師範大學出版社出版名為《胡漢民未刊往來函電稿》十五大冊，以惠士林。[11]

上述文津先生的基本精神稍後更得到一次大規模的發揮。一九六四年「美國學術團體協會」（American Council of Learned Societies）及「社會科學研究理事會」（Social Science Research Council）下面有一個「當代中國聯合委員會」（The Joint Committee on Contemporary China）因為感到美國所藏當代中國資料之不足，決定調查世界各國的收藏狀況，以供美國參考。由於文津先生在這領域中的卓異成就，這一重任終於落在他的肩上；一九六四—六五年期間，他花了整整一年的時間在全世界進行調查工作。他對這一件事，作了下面一段簡報：

調查一年時間裡，通過走訪西歐、東歐、斯堪的納維亞、蘇聯、印度、日本、台灣、香港的重要中國研究和圖書中心，還有美國本土圖書館，我發現蘇聯和東歐的部分圖書館，可以通過我們沒有的途徑從中國獲取原始研究資料，西歐和日本也有，但相對較少。大多數這些圖書館都接受與美國進行交換。所以在呈交給JCCC（按：即「當代中國聯合委員會」縮稱）的報告中，我建議成立一個全國性的東亞圖書館服務中心來確定、獲取（通過館際互借和交換）以及複製分配那些無法獲取的當代中國書刊和只有少數美國圖書館才能擁有的稀缺研究資料。[12]

11 吳文津口述。

12 吳文津，〈北美東亞圖書館的發展〉，張寒露譯，《圖書情報知識》，二〇一一年第二期，頁八。該篇英文原文 "The Development of East Asian Libraries in North America" 載Chen Chuanfu and Ronald Larsen, eds., *Library and Information Sciences: Trends and Research*（Heidelberg: Springer, 2014）, pp. 163-177. 參看本書所收〈當代中國研究在美國的資料問題〉，原載《書林攬勝》，頁八七—八九。

這一次調查旅行，地區之廣大和查詢之詳細，真正不折不扣地可稱為「上窮碧落下黃泉，動手動腳找東西」。他的報告和建議都是為全美各大學的現代中國研究著想，所以特別強調研究資料必須向所有圖書館開放。更值得指出的是：「當代中國聯合委員會」接受了他的建議，終於在一九六八年成立了「中國研究資料中心」（Center for Chinese Research Materials）。這中心先後複製了無數難得的資料，不但遍及全美，而且流傳世界各地。正如文津先生所言，如果沒有這個資料中心，「各地圖書館現在是不可能擁有那麼多中文書刊的」。

總之，一九六四—六五年文津先生的調查旅行不僅是他個人事業的不朽成就，而且也是美國現代中國研究史和東亞圖書館發展史上值得大書特書的事件。難怪美國「亞洲學會」（Association for Asian Studies）在一九八八年頒發每年一度的「傑出貢獻獎」（Distinguished Service Award）給文津先生時，獎狀中有下面的詞句：

> 三十年來你是發展現代和當代中國研究資料的中心動力……牢記中國的傳統價值，我們景仰你在旁人心中激起的抱負，你有惠他人的成就，以及傳播與他人共用知識。本學會表彰如此傑出的事業生涯也是為自己增光。[13]

以上舉文津先生在史丹佛大學時代的幾個重要活動為例，旨在透顯他的獨特精神。通過這幾個事例，哈佛燕京圖書館為什麼非請他繼任第二任館長不可，便無須再作任何解釋了。

文津先生到哈佛之後，雖然面對的具體問題與胡佛研究所不同，但他的精神則一仍舊貫。哈佛燕京藏書初以漢學取向，這一點前面已說過了。由於裘先生在這一領域已建立了規模，文津先生大體上蕭規曹隨，但始終維持著它的領先地位。我對此有親切的體會。因為漢學正是我的工作領域。我和文津先生共事十年，從來沒有

13 獎狀頒予一九八八年三月二十六日。此段原文為："For three decades you have been the central dynamic force in the development of research sources for modern and contemporary Chinese studies... Remembering traditional Chinese values, we admire you for the aspirations you inspire in others, for your achievements which benefit others, and your dissemination of knowledge shared with others. The Association honors itself in recognizing so distinguished a career." 至今吳文津先生仍為東亞圖書館界得此殊榮譽之唯一人物。

感到研究資料方面有任何不足的地方。但在近代和現代中國的研究領域中，文津先生則將哈佛燕京的收藏帶到一個全新的境地。詳情不可能在此陳述，我只想提一下他在收集「文革」資料方面所費去的時間和精力比他走遍全世界調查現代中國資料更為艱巨，也更有成就。一九六五年他到哈佛的時候，正是文革前夕，但資料已極為難求，一九六六年文革起始後，中國出版界除《毛澤東選集》及《毛澤東語錄》等外，工作幾乎全部停頓。但各地紅衛兵小報遍起如雨後春筍，部分帶至香港經書商複印出售者為唯一可收購之資料，但供不應求，以致洛陽紙貴。當時美國國務院應學術界的要求，願意公開政府所收集的紅衛兵資料。於是上述的「當代中國聯合委員會」又邀請文津先生負起這一重任，到國務院閱讀一大批有代表性的資料。他認為其中紅衛兵小報和周恩來等人與紅衛兵代表的談話記錄等都有極高的史料價值。因此建議國務院儘快公開於世。但一九六七年時「中國研究資料中心」尚在籌建中。於是哈佛燕京圖書館將最早從國務院收到的資料製成縮微膠捲，以成本計向各圖書館發行。這是他幾年前複製「陳誠特藏」的故智。直到一九七五年「中國研究資料中心」才出版了紅衛兵資料二十卷，以後每隔幾年便續刊數十卷。我同意文津先生的話，這也許是「世界上最大的公開出版的紅衛兵資料集」。[14]最有趣的事是一九八〇年五月考古學家夏鼐第一次訪問哈佛，也特別記下文津先生給他看的「紅衛兵各小報縮印本二十餘冊」。[15]我猜想夏所見的必是一九七五年「中國研究資料中心」出版的二十卷本。

文津先生的精神一以貫之，此其明證。具此精神動力，所以他的成就特多，而為各方所推崇。上面已提到美國亞洲學會的「傑出貢獻獎」。先生一九九七年榮休時，哈佛大學校長魯登斯廷（Neil L. Rudenstine）在他的賀文中列舉先生對哈佛的貢獻之外，在末尾說：

我非常高興加上我個人以及哈佛全體同仁對他為哈佛作出的示範性的傑出貢

14 同注12。參看《文集》所收〈《新編紅衛兵資料》序〉。

15 《夏鼐日記》（上海：華東師範大學出版社，二〇一一）卷八，頁四二六。按：夏氏當時還弄不清楚文津先生的姓名，只知道他是哈佛燕京圖書館館長，四川人。

獻致謝。文津，你已經發揮了重要的作用，哈佛因之而是一個更好的大學。16

最後，我要鄭重指出，這部文集具有極高的史料價值，絕不可以一般個人的文字集結視之。無論我們是要認識二十世紀中葉以來中國的歷史動向，還是想理解西方人怎樣研究這一動向，《美國東亞圖書館發展史及其他》都能給我們以親切的指引。

二〇一三年十月十七日於普林斯頓
二〇一六年一月六日重新改定

（原載《美國東亞圖書館發展史及其他》，聯經出版，二〇一六）

編按：本篇註釋言及「本書」者，均指《美國東亞圖書館發展史及其他》。

16 魯登斯廷校長賀詞結語的原文是：“I am very pleased to add my own thanks and the thanks of all of us at Harvard for his exemplary and distinguished service to the Harvard community. Gene Wu, you have made an important difference, and Harvard is a better university because of it.”

親不失親，故不失故

——為呂武吉《中華文化的情懷》作序

我初次和呂武吉兄在新加坡會面是一九八二年，那時新加坡政府大張旗鼓，準備推行「儒家倫理」的教育計畫，從一九八二到八八年，我每年寒暑假都到新加坡去參加編教科書的工作。武吉也是這項計畫的參與者，所以我和他聚談的機會很多。

我至今還清楚記得，我和武吉，還有劉慧霞博士領導的「儒家倫理工作小組」

的許多朋友們，常常在小攤子上吃午飯暢談的情形。這個計畫今天早已為世人遺忘了，但是我們的聚會和由此而生的情感交流，卻從此成為我個人生命中很珍貴的一部分。十幾年過去了，我依然感激這個計畫，因為它豐富了我的人生。

武吉的專業是中國哲學，又受過現代西方哲學的良好訓練，因此他擅長於理論思考，常常提出許多有意義的哲學問題。時間隔得久了，我現在已記不起這些純理性的問題了。但是我對於他的文化情懷則感受很深：我們不相見已十一年了，然而他的溫厚性格，儒雅風度，我只要略一回憶，便出現在眼前了。讀了他的〈親情、尋根、與上海〉，我很受感動。

他離開上海時才三、四歲，幾十年後一家老幼卻去上海尋舊居。僅僅從這一點，我們便完全認識到他是怎麼一位深情的人了。他當然更愛台灣。我們在新加坡談天之際，他時時流露出對故鄉的關懷，盼望著台灣社會走上一條既現代化又能保住原有文化傳統的道路。

現在武吉的《中國文化的情懷》即將問世了，他要我寫一短序，並題署書名。我很感惶悚，但不忍拂其誠意。因為我深知，這個請求也正是他的「文化情懷」的自然流露。因為「親不失親，故不失故」，這是中華文化傳統中一個最富人情味的原則。我也感謝武吉，寫這篇序，我又重溫了一次我們在新加坡歡聚的舊夢。

一九九九年六月於普林斯頓

（原載《中華文化的情懷》，世界華文作家，二〇〇〇）

《儒道天論發微》序

「天」的觀念在中國起源很早。近代學者或謂甲骨文中僅有「帝」字，而無「天」字，因而主張「天」是周人的宗教，但此說未必足信，因為也有專家指出，甲骨文中的「大」字即是「天」字。若必謂殷人僅有「帝」的觀念，尚無「天」的觀念，則不免失之過拘。周人則「天」、「帝」兼用，故經典中「不識不知，順帝之則」與「天生蒸民，有物有則」之文往往互見疊出。「帝」有「廷」在天上，且先王先公「賓」於「帝」之左右，此可由今存甲骨文推而知之者。周人代殷人而興，《詩經》中遂有文王「在帝左右」之說。此不過謂周之先王取代殷之先王在

「帝廷」之地位而已。殷、周宗教觀念似未見有顯著的變化。最近陝西周原發現武王伐紂以前的周人甲骨文，其中有祭祀殷人先王之記載，益可證殷、周宗教一脈相承。孔子云：「周因於殷禮，其所損益可知」，要可謂信而有徵。

中國古代「天」的觀念發生重大變化當在子產、孔子的時代，其事與「哲學的突破」相隨以來。子產和孔子一方面似乎把「天」推遠了一步，但另一方面則使「天」的觀念和「道」的觀念更緊密地綰合在一起，而賦之以莊嚴的超越性格。孔子以前，唯瞽史為知「天道」，清儒錢大昕謂瞽史所知之「天道」不出吉凶禍福的範圍，其說不為無據。這種「天道」仍帶有濃厚的初民原始宗教的色彩。孔子以後的「天道」始具有超越的意義，成為人間道德價值的最後根源。「夫子之言性與天道不可得而聞」正見孔子對「天道」的虔敬和鄭重。若孔子根本不信有所謂「天道」，則何必空發「天生德於予」、「知我者其天」之歎乎？

孔子以後，各種天論競起，儒、墨、道、名、陰陽諸家都各對「天」的涵義有不同的發揮。我們甚至可說，先秦各家的思想立場大致即透顯於其特有的「天」的觀念之中。近幾十年來，中外學人研究古代「天」的觀念者已不在少數，但迄未獲致共同的理解。此不僅由於研究者所持之哲學觀點各異，實亦新史料之不斷出現有以致之。其最著者如《易經》一書，其八卦已可上溯至周原卜甲、張家坡卜骨以及周初金文、陶文，其釋卦之文今更有馬王堆出土帛書可資參證。故以先秦「天」論之研究言，我們今天實又處於一新的出發階段。

傅君佩榮近數年來在耶魯大學專攻宗教哲學，並就先秦天論一題撰成博士論文。傅君一方面以宗教哲學為解釋之架構，而另一方面則又以歷史文獻之考證為立論之基礎，故能自抒己見而不陷於主觀臆測。所下論斷頗合乎荀子所謂「言之成理，持之有故」的雙重準則。此書即據英文原著改寫而成，尤便於東方讀者之參考。現代學術論文大體皆以「小題大作」為基本原則。本書論述範圍之所以僅限於儒道兩家，而未嘗及於其他諸派者，其故即在於是。且以古代天論而言，儒、道兩家實亦最為深邃，最為重要。攻木先堅，而後其易；治學程序，固當如此。傅君因撰述博士論文期間曾和我有所商榷，所以要我為本書中文本寫一序言。我對於宗教哲學並無發言的資格，當時略能貢獻意見者僅在歷史文獻的方面。傅君的專業訓練本偏向哲學一邊，但他在很短的時間內便掌握了與本文有關的歷史文獻方面的知識。這種勤奮的精神和開放的態度確是難能可貴的。我希望他今後仍能繼續不斷地擴大研究的範圍，對其他各家也分別加以探索，寫成續篇，使讀者得以進窺中國古代天論的全貌。這是為中國古代哲學史研究重奠新基的工作，是十分值得傅君努力完成的。

一九八五年八月

余英時序於美國康州之橋鄉

（原載《儒道天論發微》，台灣學生書局，一九八五）

《近世儒學史的辨正與鉤沉》序

二〇〇〇年七月我在台北初次認識國翔，他當時是北京大學哲學研究生，正在撰寫博士論文，即後來修訂出版的《良知學的展開：王龍溪與中晚明的陽明學》（台北：學生書局，二〇〇三；北京：三聯書店，二〇〇五）。當天聚會匆促，未及詳談，不過他好學的熱忱在我心中卻留下了較深的印象。四年後他到哈佛大學進行研究工作，曾抽空來訪普林斯頓，我們才有充分的論學機會。以後他多次訪美，每來必和我有數日的交流，由於治學範圍和價值取向都很相近，這種交流為我們帶來了很大的樂趣。

國翔的專業是中國哲學，而中國哲學自正式進入大學課程之日起，便和中國哲學史是分不開的，馮友蘭雖有「照著講」（哲學史）和「接著講」（哲學）之分，但這一分別只能是相對的而非絕對的。因為嚴格地說，「照著講」之中已滲進了數不清的「接著講」，而「接著講」也處處離不開「照著講」。所以中國人文學界早就出現了一個共識：研究中國哲學必須雙管齊下，同時進入哲學和史學兩大領域。自胡適以來，哲史雙修便已形成北京大學的哲學傳統，國翔師承有自，並且自覺地繼承了這一傳統；他在本書〈前言〉中對此已作了清楚的交代。

但國翔尊重傳統，卻不為傳統所限，從學思發展的歷程看，他一直在擴大研究的範圍和視野，並嘗試不同的方法和觀點。自《良知學的展開》以來，十年之中他已有四種論集問世（包括本書），重點和取向各不相同，恰可為他在學問上與時俱進的情況作見證。

本書題作《近世儒學史的辨正與鉤沉》，國翔認為在他的哲學專業之外，「而屬於學術思想史、歷史文獻學的領域」。（〈前言〉）以他的幾部論集而言，《儒家傳統：宗教與人文主義之間》（北京大學出版社，二〇〇七）偏重於宗教學的進路，《儒家傳統的詮釋與思辨》（武漢大學出版社，二〇一二）所處理的是他最擅長的哲學與哲學史方面的問題，而本書則可以說是他的第一本史學的作品；三者恰好鼎足而立。但學科雖跨三門，研究宗旨卻一貫而下，同在闡明儒學傳統及其現代意義，故相互之間配合得很緊湊。本書所收「辨正」與「鉤沉」十三篇，事實上，都和哲學及哲學史密切相關，所以我並不完全同意上引「屬於學術思想史、歷史文獻學的領域」之說。因為以中國的情形而言，哲學史和學術思想史之間的界線是無法清楚劃分的。據我所見，關於《龍溪會語》和兩部《理學錄》的考論都涉及了明、清哲學史上的重要問題。正如先師錢賓四先生的《中國近三百年學術史》，其中有關陳確《大學辨》、潘平格《求仁錄》及章學誠遺書抄本的發現與考訂也為後來清代哲學的研究提供了關鍵性的基礎文獻，其貢獻絕不限於「學術史的領域」。

國翔在〈前言〉中特別重視歷史文獻的考訂，他借用傳統的概念，要求哲學和哲學史的工作者「將『宋學』的思想闡發建立在『漢學』的歷史研究之上」。自「五四」整理國故以來，這一要求曾不斷有人提出，似乎早已成人文學界的一個共識。但按之實際，此說竟流為口頭禪，言之者眾而行之者寡。因此我認為國翔的論點仍值得再強調一次。他在〈合法性、視域與主體性——當前中國哲學研究的反省與前瞻〉一文中談到這個問題時，曾說過下面一段生動而又沉痛的話：

如果不能首先虛心、平心吃透文獻，還沒讀幾頁書就浮想聯翩，結果只能是在缺乏深透與堅實的理解和領會的情況下放縱個人的想像力，對源遠流長的中國哲學傳統終究難有相契的了解。其研究結果也只能是「六經注我」式的「借題發揮」與「過度詮釋」。（收在彭國翔《儒家傳統與中國哲學：新世紀的回顧與前瞻》，河北人民出版社，二〇〇九，頁八〇。）

此文撰於二〇〇三年，國翔的話當然是有感而發。可知對於文獻基礎的輕忽，一直到最近還是中國哲學史研究中時有所見的現象。我完全同情國翔的立場，所以下面舉一個實例來加強他的論點。

很多年前我偶然讀到一篇討論《中庸》「修道之謂教」的文字，作者斷定此處「修」字作「學」字解，乃漢初流行語，並引《淮南子．脩務訓》為證。這句引文說：

知者之所短，不若愚著之所脩。

作者在這個基礎上，進行了一層又一層的推理，最後得到了他所需要的結論。其實《脩務訓》此處的「脩」（同「修」）字是「長短」之「長」的意思，高誘在句下注得明明白白：

短、缺；脩、長也。

而且同篇還有另一處「脩短」連用之語：

人性各有所脩短。

此處「脩」字作「長短」之「長」解，更是毫無致疑的餘地。作者即使不信高注，也不應對此內證視若無覩。問題尚不只此，高誘在〈敘目〉中指出：

以父諱長，故其所著，諸長字皆曰脩。

這就將劉安及其門下賓客何以用「脩」代「長」的最深層原因掘發出來了。（這裡我必須補充一句：《淮南子》所諱的是「長短」之「長」，讀作「chang」，而不是「長幼」或「生長」之「長」，讀作「zhang」。）上面提到的那位作者為什麼竟會誤讀「脩」字呢？這絕不是由於他對古典文本的修養不足。恰恰相反，就我所知，無論是「宋學」、「漢學」或哲學，該作者的造詣都達到了極高的水平。依我的推測，他大概是急於證成他的哲學論點，看到〈脩務訓〉中這個「脩」字可資利用，便不再追問此字有無歧義及其在《淮南子》中的複雜背景了。其結果則正如國翔所說，完成了一種「六經注我」式的「借題發揮」。

我認為這個例子特別值得哲學史研究者的警惕，因為它提供的最大教訓是：

> 在哲學起飛之前，研究者必須以最嚴肅的態度對待他的歷史文本，其中任何一個字都不能輕易放過！

這是國翔第一部關於思想史和歷史文獻考釋的專集，我希望他繼續在這個園地中開墾，所以很高興地應他之約，匆匆寫下這篇短序。

二〇一三年三月於普林斯頓

（原載《近世儒學史的辨正與鉤沉》，允晨文化，二〇一三）

《民主評論》新儒家的精神取向

——從牟宗三的「現世關懷」談起

牟宗三先生是現代中國最具原創力的哲學家之一。他所創建的哲學系統既廣大又精微，因此數十年來受到中外學者的高度重視，分析與闡釋之作不計其數，而且仍在不斷增添之中，彭國翔先生的《智者的現世關懷：牟宗三的政治與社會思想》則是這一研究領域中「別開生面」的最新貢獻。

本書之所以「別開生面」便在於它的探討對象不是牟宗三的哲學系統，而是他的「現世關懷」，這是以往研究者極少觸及的一面。但這並不是因為國翔不重視牟的哲學。恰恰相反，哲學是國翔的專業，而且早在大學生時期，即八十年代後期，便已對牟的哲學發生了深厚的興趣，並因而在研究生時期即已獲得了「牟宗三專家」的雅號。三十年來他讀遍了牟的一切論著，對於牟的哲學系統有著很透澈的認識。關於這一點，祇要一讀他對於牟氏哲學的「基本架構」與「核心概念」所作的分析便完全清楚了。[1]那麼國翔為什麼從牟的哲學（「內聖」）轉向牟的「現世關懷」（「外王」）呢？原因很簡單：由於牟深信「解決外王問題」必須「本內聖之學」，他的哲學體系「可以說是其現實政治與社會關懷的產物」。國翔因此一針見血地告訴我們：

> 要想對牟宗三有進一步的了解，我們就不能僅僅局限於其哲學思想，不能僅僅以「經虛涉曠」的哲學家視之。只有對其一生強烈的政治社會關懷有深刻的把握，才能真正了解其精神與思想世界的全貌。[2]

這也是國翔對於他「別開生面」的最明確的解答。

國翔寫此書的主旨是「對牟宗三的政治與社會思想做一全面與深入的疏理」，[3]通覽全書，我覺得他確實取得了高度的成功。限於篇幅，下面讓我揭示本書兩個最顯著的特色。

第一，本書採取了微觀分析和宏觀綜合交互為用的研究方式。著者依據具體內涵，將牟先生的「現世關懷」分成七章，一一詳加論述；通過概念的分析和澄清，微觀的功效在全書中獲得了充分的發揮。但著者並不是為分析而分析，把每一章當作一種孤立現象來處理。相反的，他的目的是展現牟的「現世關懷」的全貌。因此，各章之間都互相關聯，合而讀之，即成一宏觀的整體。不僅如此，本書的宏觀

1 見彭國翔，《儒家傳統與中國哲學：新世紀的回顧與前瞻》，河北人民出版社，二〇〇九，頁二〇三—二一八。

2 見彭國翔，《智者的現世關懷：牟宗三的政治與社會思想》，聯經出版，二〇〇六，頁四〇。

3 見彭國翔，《智者的現世關懷》，頁四一。

綜合並不只於「現世關懷」這一層次，據我所見，另有兩個層次的宏觀也應該特別指出：其一，「現世關懷」屬於「外王」範圍，但著者隨時不忘怎樣將「外王」和「內聖」聯繫起來。所以他一方面一再引牟的自述，強調一九四九年以後專心尋求「內聖」如何開出「外王」的途徑，[4]另一方面則鄭重地揭出牟晚年一個重要論斷：新時代所要開出的「新外王」便是民主政治的實現。[5]這是著者在牟氏政治思想和哲學系統之間所作的宏觀綜合。其二，著者說：

> 本書對牟宗三政治與社會思想的探討，儘管在概念的分析與澄清方面具有高度的自覺和運用，但絕不將討論和辨析局限於抽象的觀念推演，而是盡可能將其置於牟宗三所在的社會歷史與思想的整體世界和脈絡之中來加以考察。[6]

這是孟子「知人論世」的研究方式，後世所謂「即事以言理」也是此意。（現代西方contextualism一派也大旨相近。）可見本書的宏觀已超出牟宗三「內聖外王」的思維之上，而進一步與他的整個時代融合為一體了。

第二，本書的另一重大特色是網羅牟宗三的著作鉅細不遺，從佚文到未刊書信，凡是和「現世關懷」相關的文獻，已搜集到應有盡有的地步。不用說，在這樣堅實而廣闊的文獻基礎上建立起來的種種論斷是很難動搖的。對於任何題旨進行學術研究都必須始於全面搜尋第一手的原始資料，這本來是學術界公認的一種工作程序，不足為異。但國翔在本書文獻方面的貢獻則遠非一般情況可以相提並論。他發現了一部久佚的著作，而恰恰是牟宗三「現世關懷」的一個核心部分：牟宗三在一九五二年出版了一部《共產國際與中共批判》，原為台北招商訓練委員會的一種教材。但此一冊小書流行不廣，從未見有人提及，今天已無人知其存在，以致《牟宗三先生全集》也未能收入。二〇〇四年國翔在美國哈佛燕京圖書館發現了它，並且立即看出它的重要性。本書第四章〈共產主義批判〉便是以它為中心而寫成的專論。

4 見彭國翔《智者的現世關懷》，頁三九—四〇。

5 見彭國翔《智者的現世關懷》，頁三九四。

6 見彭國翔《智者的現世關懷》，頁五二。

以上兩大特色保證了本書論述的全面性和客觀性。我從一九五〇年代初便開始接觸牟宗三先生的思想，一九七三—七五兩年又在新亞書院和他共事，時相過從。但是我必須坦白承認，我是在讀完本書之後才對他的「現世關懷」有了深一層的認識。讓我在這裡回憶一下有關的往事。

從一九五〇年元旦到一九五五年十月初，我在香港住了五年零九個月之久，這恰好是我在學術和思想上逐步走向定型的時期。在這幾年中，我一方面在學校聽課，另一方面到美國新聞處（United States Information Service）閱覽室和英國文化協會（The British Council）圖書館，選讀有興趣的書刊。（因為那時新亞書院尚無藏書。）但同時我也受到當代中國思想和文化界期刊的影響。其中最重要的是台北出版的《自由中國》和香港出版的《民主評論》。限於篇幅，這裡祇能極其簡略地介紹一下它們的背景。

《自由中國》是胡適一九四九年初在上海和國民黨內自由派人士如王世杰、杭立武、雷震等籌劃創辦的，同年十一月在台北刊行了創刊號。自由中國月刊社成立後，胡適在美國遙領「發行人」名義，實際領導的責任由雷震承擔，經費最初則由教育部及其他黨政機構提供。但到了一九五三年，它已能自給自足，成為一個完全獨立自主的民間刊物，不再接受官方的資助了。[7]

《民主評論》是徐復觀創辦的。一九四九年四月他在奉化溪口，取得了蔣介石的同意，五月便到香港籌辦《民主評論》半月刊。當時蔣告假下野，處境相當困難，深感有必要爭取自由知識人的同情和支持，共同反共。刊物取名「民主」即透露了此中消息。蔣一向信任徐，讓他放手去辦，不加干涉；經費則來自遷台後的總統府。[8]《民主評論》社成立後，徐以「發行人」的身分往來於台北與香港之間，編輯事務則完全由香港新亞書院三位創始人負責：張丕介擔任主編，錢穆、唐君毅

7 參看潘光哲，《遙想德先生》，台北：南方家園，二〇一一，頁四九。

8 見徐復觀，〈三千美金的風波——為《民主評論》事答覆張其昀、錢穆兩先生〉，收在《徐復觀雜文補編》，台北：中央研究院中國文哲研究所，二〇〇一，第二冊，頁一七八—一九九。

則「從旁贊助」。[9]這樣的安排出於歷史背景之順理成章。原來徐先生曾師從熊十力大師，與君毅師為同門，他對賓四師一向甚為尊敬，與丕介師則是多年深交。[10]

兩相對照，《自由中國》與《民主評論》恰好分別代表了當時大陸以外中國兩個主要的思想流派：前者可以稱之為「五四」新文化（或新思潮）派，後者不妨稱之為中國傳統文化的維護派。（一九五八年〈為中國文化敬告世界人士宣言〉在《民主評論》上發表以後，此派則獲得了「當代新儒家」的通稱。）這兩大刊物同樣認同於「自由」、「民主」的政治社會秩序，也同樣反對共產黨的極權體制，但由於文化觀點的分歧，不但雙方很快便發生了嚴重的衝突，而且爭論竟長期持續了下去。爭論所涉及的範圍很廣，這裡不必也不能詳說，但其核心所在則可以簡括如下。據胡適在創刊號所寫的「宗旨」，《自由中國》「要向全國國民宣傳自由民主的真實價值，並且要督促政府……努力建立自由民主的社會。」但在實踐中，其主要撰稿人（以殷海光為首）則強調以儒學為中心的中國傳統文化是兩千年君主專制的護身符，因此必須首先予以摧毀。另一方面，《民主評論》則嚴厲譴責以胡適為領袖的「五四」新文化運動，從「打倒孔家店」，走向全面否定傳統文化，最後「以懷疑的虛無主義告終」，以致連他們所提倡的「民主」和「科學」也全部落空了。[11]因此他們斷定當時第一要務是在西方文化對照下重建中國文化精神。而且根據「內聖」開出「外王」的邏輯，祇有在中國文化精神獲得新生之後，「科學」和「民主」才能在中國落地生根。如果用牟宗三的概念來表達，便是「道統」開出「學統」和「政統」。

這兩大期刊是我當時每期必讀的，而它們之間的反覆爭議，都出之以鋒銳的言辭，更激起我的興趣。大體上說，由於《自由中國》的啟發，我開始接觸和民主自由相關的政治思想論著，逐漸摸索到一點門徑。《民主評論》則引導我對於中國歷史與文化的理解日益加深。其所以如此，是因為《自由中國》的重點在宣揚現代普

9 見錢穆一九五一年十月一日〈致徐復觀書〉，收在《素書樓餘瀋》，頁三一七。台北：聯經，《錢賓四先生全集》本，一九九八。

10 見徐復觀，〈張教授丕介墓誌〉，同上，頁四五〇—四五二。

11 見徐復觀，〈五十年來的中國學術文化〉，《徐復觀雜文補編》第二冊，頁一四八—一五七。

世價值。對比之下，《民主評論》則全力以赴地展示中國文化傳統的獨特形態，對於民主自由方面卻著墨不多。（其中祇有徐復觀一人時時肯定民主政治並為「自由主義」作有力的辯護。）所以我在五十年代前半期確實受益於這兩大期刊。

至於它們關於民主自由與中國文化（特別是儒學）之間的爭論，我雖讀得津津有味，卻不曾給我帶來思想上的困惑，因為我並沒有接受中國文化或儒家和西方現代民主自由在價值上互不相容的觀點。關於中國文化或儒家含有接引西方民主自由的成分，我最初還是從胡適那裡得到啟示的。一九四八年八月十二日胡適寫〈自由主義是什麼？〉一文便說：中國古代也有「自由」的意識，即「由於自己」這顯然是指孔子的「為仁由己」而言。他接著指出：中國史上也有許多為「信仰思想自由奮鬥」的「豪傑之士」，不過中國的自由運動始終未曾抓住「政治自由的特殊重要性」。[12]一九四九年三月二十七日他在台北中山堂講〈中國文化裡的自由傳統〉，態度更為明朗。他首先強調，「自由」不是外面來的，中國古代就有，然後列舉歷代的言論和制度，說明中國人以往用何種方式「爭取思想自由」。他還特別引用了孔、孟的名言以證實他的論斷，如孔子的「三軍可奪帥，匹夫不可奪志」、「有教無類」與孟子的「民為貴，君為輕」等。[13]不但胡適如此，另一「五四」領袖陳獨秀在脫離了共產黨以後，也回到與胡適相同的觀點。一九三〇年代他在南京監獄中對朋友說：

每一封建王朝，都把孔子當作神聖供奉，信奉孔子是假，維護統治是真。……五四運動之時，我們提出「打倒孔家店」，就是這個道理。但在學術上，孔、孟言論，有值得研究之處，如民貴君輕之說，有教無類之說，都值得探討。[14]

從上引胡、陳兩人的言論，可知「打倒孔家店」和攻訐孔子思想完全是兩回

12 見胡頌平，《胡適之先生年譜長編初稿》，台北：聯經，一九八四，第六冊，頁二〇四四—二〇四五。

13 見同上書，頁二〇七八—二〇八一。

14 引自鄭學稼，《陳獨秀傳》，台北：時報文化出版公司，一九八九，頁九六〇。

事，更不能推廣到「全面否定傳統文化」。如果我們承認這一事實，則不但《民主評論》派斥責「五四」新文化的議論有深文周納之嫌，而且《自由中國》健將們對於傳統文化和儒家的口誅筆伐也近於無的放矢，因此我當時的心態是在政治上認同《自由中國》對於民主的積極追求，在文化上則肯定《民主評論》致力於揭示中國文化和儒家的現代意義。

最後讓我追憶一下這幾年間接觸牟宗三思想的情況。最初我並不知有牟先生其人，第一次聽到他的姓名來自唐君毅師的講演。唐先生推崇他是中國唯心論哲學家中首屈一指的人物。後來在唐先生的論著中，我更進一步了解到他們同出自熊十力大師門下，思想上契合無間。這樣我才開始讀牟先生的作品。他除了是《民主評論》的一位基本作者之外，香港的《人生雜誌》和《祖國周刊》也常常有他的文章。他有關中國文化和人文主義之類的文字，頗能與唐先生《中國文化之精神價值》及《人文精神之重建》互相印證，雖然雙方所用的概念並不統一，但牟先生給我留下最深刻的印象並不在這一方面，而在他從哲學層面對中共的批判。一九五三年他在《民主評論》上發表了〈闢毛澤東的〈矛盾論〉〉和〈闢毛澤東的〈實踐論〉〉；恰好一九四九年秋季我在燕京大學的政治大課上讀過這兩「論」，但沒有足夠的哲學訓練以判斷其中是非。現在讀到牟先生鞭辟入裡的分析，頓有撥雲霧而見青天之感。所以當時我將牟先生摧破中共理論看作他「現世關懷」的主要表現，至於他在民主自由方面的種種努力，如國翔在本書中所展示的，卻沒有在我的記憶中留下清楚的痕跡。這裡涉及另一問題，必須作進一步的澄清。

牟先生一九四九年到台灣以後，在思想上嚴守三大原則：

一為文化反共。視中共及其所持之馬列意識形態為中國文化之頭號敵人。二為孔子立場。凡尊重孔子者皆可合作而相與為善，凡貶抑孔子詬詆孔子者，必反擊之。三為支持中華民國，反對中共竄改國號。對於國民政府，則盼望其有為，樂觀其有成，願作善意之督責，而不取「訐以為直」之批評……。先生自謂，此三原則，數十年來持守甚緊，無稍改變。[15]

15 蔡仁厚，《牟宗三先生學思年譜》，台北：學生書局，一九九六，頁一六。

我覺得這三大原則同樣可以代表《民主評論》的集體立場，並不限於牟先生個人。必須指出的是：雖然其中每一原則都擁有正大光明的理由，然而在實踐中卻引導出意想不到的誤解。問題主要出在第二、第三原則上面。先說第二原則：「孔子立場」。孫中山曾表示過一個意思，大意是：

中國有一個正統的道德思想，自堯、舜、禹、湯、文、武、周公至孔子而絕。我的思想就是繼承這一正統的道德思想，來發揚光大的。[16]

國民黨便抓緊這幾句話，以繼承孔子的道統自居。執政以後曾用種種直接或間接的方式來表達這一立場。三十年代在南京有過祀孔、中小學讀經、建設本位文化等舉動，四十年代在戰時重慶又有獻九鼎以及重編十三經注疏和宋、元、明、清四朝學案等措施。遷都台北以後，局勢稍一穩定，繼承道統的活動也再度展開。這裡我不談蔣介石先生對於《大學》、《中庸》等經典的研究。蔣雖號稱基督徒，但對儒家的信仰很可能是真誠的，個人信仰不在本文檢討之內。我祇舉出兩個事例，都是國民黨以執政地位所採取的公共行動。第一例是一九六〇年一月教育部長梅貽琦出面，假借「全體」大專院校校長「集會」的共同要求，決定組織「孔孟學會」，並特別邀請胡適為「發起人」之一。胡回信說：

我在四十多年前，就提倡思想自由，思想平等，就希望打破任何一個學派獨尊的傳統。我現在老了，不能改變四十多年的思想習慣，所以不能擔任「孔孟學會」發起人之一。[17]

事實上，梅貽琦不過是因為職務（教育部長）關係而不得不出面，背後的原動力則來自國民黨，這是毫無可疑的。特邀胡適為「發起人」似乎也是一種策略：逼他以中央研究院院長的身分公開表態，以坐實他「打倒孔家店」的罪狀。第二例是一九六一年國民黨的「三民主義研究所」編印了一部《五四運動論叢》，其中有幾

16 戴傳賢，《孫文主義之哲學的基礎》，轉引自胡頌平前引書第十冊，頁三七五五。

17 見胡頌平前引書，第九冊，頁三一六七。

篇黨宣傳人員寫的文章，全力攻擊「五四」新文化運動毀滅了傳統文化。所以他們都以上引孫中山「繼承道統」的話為根據，大聲疾呼：要「救起中華民國垂危的文化」！[18]我們必須記住，這是在《自由中國》停刊和雷震入獄的一年之後，國民黨乘勝追擊，以防「五四」死灰復燃。從字面上說，國民黨「尊重孔子」是無懈可擊的，但按之實際，無論是「孔孟學會」或「繼承道統」都明明是為政治服務的，祇能說是「孔家店」再一次開張。這一情況為牟先生和整個《民主評論》派提出了一大難題：怎樣與國民黨「合作而相與為善」呢？

再談牟先生的第三原則：「對國民政府願作善意之督責而不取『訐以為直』之批評。」這一原則他確實完全守住了，我未曾讀到他任何一篇對政府的直接批評，甚至他的「善意之督責」也很少見諸文字。而且這不僅代表他一個人的風格，整個《民主評論》都是如此。正因如此，在我當年的印象中，牟先生和《民主評論》派雖在理論上肯定了民主自由的普世價值，但在實踐中卻未有任何作為，就這一點而言，《民主評論》派和《自由中國》派形成了極為尖銳的對照。

這兩大原則的合流終於引出不少人對《民主評論》派（包括牟先生在內）的誤解。現在讓我從徐復觀先生所提供的第一手資料中舉例略作說明。第一、一九五五年香港《祖國周刊》上刊出了筆名「凌空」的〈介紹反共文化運動中兩個學派〉一篇長文，所謂「兩個學派」即分指《自由中國》與《民主評論》。徐先生在同年四月間寫了一篇回應文字，其中有這樣一句話：

凌空君好像因為有「曲學阿世」的人的關係，是引起人家對《民主評論》「習而不察」的原因之一。[19]

很明顯的，凌空原意是說《民主評論》之所以受人輕忽（「習而不察」）是由於其中有「曲學阿世」的人。所指為誰，今已不可知，但是我相信徐先生的話：「《民主評論》……在任何氣壓之下，絕不採用曲學阿世的文章。」然則這一誤讀

18 見胡頌平前引書，第十冊，頁三七五四—三七五五。

19 徐復觀，〈如何復活「切中時弊的討論精神」——感謝凌空君的期待〉，收在徐復觀前引書，第二冊，頁八九。

從何而來呢？我推斷或許與牟先生的第三原則不無關涉：在「盼望其有為，樂觀其有成」心態下所寫的文章，對於國民黨流露出一定程度的袒護口吻，恐怕是很難避免的。當時香港和台灣的自由知識人都主張爭取民主自由必須向一黨專政的國民政府施加輿論的壓力。《民主評論》中某些溫和說詞在他們的眼中當然便不免有「曲學阿世」之嫌了。

第二、徐先生在〈牟宗三的思想問題〉一文中說：

> 有些淺薄的民主人士，說他（牟）的思想有幫助國民黨一黨專制之嫌……[20]

「淺薄的民主人士」大概是指《自由中國》的殷海光等人。這一指控無疑是出於誤讀，但其所以有此誤讀則或由於牟先生在五十年代前期有關「政道」、「治道」、「道統」、「政統」等一系列論述所引出。讀者未必都曾細讀其文或心知其意，然而這一套儒家「內聖外王」的語言不免會激起他們的政治敏感，誤認為是與國民黨「孔家店」互相唱和的聲音。由此我們也進一步認識到，《自由中國》派中人對於中國文化和儒家的強烈反感毋寧是針對著國民黨以「孔家店」緣飾專制而來，考之殷海光、張佛泉、戴杜衡諸人，無不如此。牟先生是不是因「尊孔」而感到和國民黨可以「合作而相與為善」，我們沒有任何證據可供解答，姑置之不論。但《民主評論》派中不但確有這樣的人物，而且更令人詫異的，其人竟是對民主自由最表支持的徐復觀先生。這是我的最後一例，複雜而有趣，不能不多費一點筆墨。

一九六一年十一月六日胡適應美國國際開發總署之邀，在「亞東區科學教育會議」開幕時作了一場英文演講，題目是「科學發展所需要的社會改革」（Social Changes Necessary for the Growth of Science）。胡的講詞，開宗明義，從打破「物質文明」和「精神文明」的二分法開始，因為根據二分法的邏輯，西方現代的科學技術雖占優勢，但不過是「物質文明」的成就，古老的東方文明（包括印度與中國）仍然可以憑「精神」的優越傲視西方。他認為「物質」、「精神」是密切相關

20 見同上書，頁四〇一。

的，科學和技術正是從高度「理想」（idealistic）和「精神」（spiritual）中創造出來的。為了論辯的需要，他又反過來指出一些負面的歷史現象，以顯示東方古文明中並沒有多少值得傲人的「精神」成分。他所舉的實例中包括婦女纏足、「種姓制度」（caste system）、以貧窮與行乞為美德，以及臨死念「南無阿彌陀佛」前往極樂世界等等。這裡衹有纏足來自中國，其餘都是指印度而言。但他並不是說中、印古文明已盡於此，更無其他成分。他的本意衹是要我們認識科學和技術正是「精神文明」的最新成果；為了迎接這一新的「精神文明」，「我們東方的人最好有一種科學技術的文明的哲學」。更值得指出的是，他相信這一哲學早在孔子時代已開始在中國萌芽。他說：

> 人曾被稱作Homo faber，能製造器具的動物。文明正是由製造器具產生的。……據說孔子也有這種很高明的看法，認為一切文明工具都有精神上的根源，一切工具都是從人的意象生出來的。（按：末句即《周易．繫辭上》「制器者尚其象」的譯文。）《周易．繫辭傳》裡說得最好：「見乃謂之象，形乃謂之器；利而用之謂之法；利用出入，民咸用之，謂之神。」這是古代一位聖

人的說法。所以我們把科學和技術看作人的高度精神的成就，這並不算是玷辱了我們東方人的身分。[21]

以上是關於胡氏演講主旨的一個提要，力求簡短和客觀。但這一提要是不可少的，因為國民黨為它而對胡適進行了長達三、四個月的「圍剿」，直到他逝世才不得不停止。[22]對於這樣轟動一時的大「圍剿」，讀者當然想知道原講詞到底說了些什麼話？

必須指出，胡適這次所說的都是老話。關於「物質文明」和「精神文明」，他早在一九二六—二八年已分別發表過英文和中文的論文；關於《易·繫辭》的一段

21　見胡頌平前引書，第十冊，頁三八〇四。

22　一九六二年二月二十四日下午中央研究院第五次院士會議閉幕，胡適在閉幕講話中說：「我去年說了廿五分鐘的話，引起了『圍剿』，不要去管它，那是小事體，小事體。」講話一結束，他就心臟病復發，倒地死去。同上書，頁三九〇一—三九〇二。

話，一九五二年十二月二十七日他在台南工學院講「工程師的人生觀」也曾引來說明中國早已發展出可以與科學和工程相配合的哲學思路。[23]不但如此，他這次重引〈繫辭〉還別有用意。他事後向胡頌平透露：

在這裡提倡「孔孟學會」的時代，我特別引用這些話，但各報譯成的中文都被刪掉了。[24]

很顯然的，他是向「孔孟學會」中人展示：孔子是將科學和技術看作「精神文明」的。

如果平心靜氣細讀這篇演講，它的重點並不在攻擊東方古文明，更不在摧毀中國傳統文化，因為它的取向是積極的，要求我們調整思路與心態，以迎接科技文明的到來。與批評者所理解的相反，胡適特引《易．繫辭》以表示中國傳統文化中不但存在著精神價值，而且恰恰是能夠安頓科學成長的精神價值。[25]胡適每有言論必受到反對派的批評，這一點他早已習以為常，但這次二十五分鐘的講話竟引出大規模的長期「圍剿」，恐怕也遠出他的意料之外。

僅僅因為講詞中「古老文明中沒有多少精神成分」、「婦女纏足」幾句話，國民黨的「道統」派便怒火中燒，群起而攻之。最先是十二月初立法委員廖維藩在立法院正式提出「質詢」，並事前在報上一再宣傳，為輿論造勢。[26]接著又有其他人士望風而起，一方面給胡寫「公開信」，一方面向政府「質詢」。[27]至於報章雜誌上罵胡之文則連續不斷，數之不盡。[28]

徐復觀先生也是這次批胡運動中一位最勇猛的先鋒，同年十一月十五日台北

23 胡頌平，前引書，第六冊，頁二二八五—二二八七。

24 胡頌平，前引書，第十冊，頁三八一一。

25 此處「批評者」可以徐復觀為例，見他的〈自由中國當前的文化爭論〉一文引言，收在前引書，頁一六〇。

26 見胡頌平，前引書，第十冊，頁三八二四—三八二五。

27 同上書，頁三八六一、三八六九。

28 見同上書，頁三八六〇—三八六一。

《民族晚報》便報導「徐復觀擬筆戰胡適」，並說他正在託人找尋胡適英文演講的原文。[29]他這篇經過充分準備而寫成的文章發表在十二月份的《民主評論》上，情緒之強烈，極為少見。他不但毫不遲疑地說「胡博士擔任中央研究院院長，是中國人的恥辱，是東方人的恥辱」，而且更進一步宣稱：「他不懂文學，不懂史學，不懂哲學，不懂中國的，更不懂西方的；不懂過去的，更不懂現代的。」所以當時報章有「徐復觀大張撻伐」的描述，其轟動效用可想而知。[30]

總之，在這次對胡適大「圍剿」中，黨內有廖維藩，黨外有徐先生，互相唱和，共領風騷，給人一種印象，他們是有組織的行動。[31]當時《自由中國》已停刊，但同情胡適立場的仍大有人在，特別是青年人。他們也在少數報刊為胡辯護，然而聲勢遠不及「圍剿」陣營之大。因雙方爭論與本文論旨無直接關聯，此處不能涉及。

我在這裡唯一關切的問題是：在這一大規模的「圍剿」運動中，代表新儒家的《民主評論》派與國民黨的「孔家店」之間是不是存在著一種「合作而相與為善」的關係？幸運得很，徐復觀先生在無意中留下了下面這段引人入勝的文獻，值得細加玩味。

一九六二年三月一日，也就是胡適死後第五天，徐先生在憤怒中寫了〈正告造謠誣衊之徒！〉一文。他開頭便說：

今天上午十二時下課後，……梁容若先生很激動地問我：「原來這次圍攻胡適，是由國民黨有計畫的發動，並花了一筆錢；《民主評論》也分得一些；你未必不知道？」我說：「哪裡來的這種混帳話？」梁先生說：「告訴我的還是國民黨員，第幾次中常會通過的，他都說得清清楚楚。」我回到宿舍後，當即寫一封信給梁先生，請他把說這種話的人告訴我，我應要求《民主評論》社採取法律行動。因為《民主評論》上有一篇批評胡適之罵東方文明沒有靈性的文

---

29 同上書，頁三八一三。

30 同上書，頁三八五八。徐文則見《民主評論》十二卷二十四期。

31 見後文的討論。徐先生推崇廖維藩為有「血性良心」的「知識分子」，見他一九六八年寫〈文學與政治〉一文，其時廖已逝世，收在《徐復觀雜文補編》，第二冊，頁二一八七。

章，是我寫的；而我也是《民主評論》的創辦人。假定《民主評論》受了收買，一定是由我經手。（中略）同時，我寫一封信給國民黨中央黨部秘書長唐乃建先生，問他：國民黨是否動員了組織，拿出了收買費，並分給了《民主評論》，以圍攻胡適？[32]

由於梁容若怕讓說話的友人「吃官司」，不肯以姓名相告，徐先生最後祇好放棄了「法律行動」。徐先生和他的《民主評論》沒有被國民黨「收買」，我是絕對相信的，這也是他怒斥「造謠誣衊之徒」的重點所在。但是若撇開「收買費」一事不談，「這次圍攻胡適」是不是「由國民黨有計畫的發動」？則完全是另一問題，卻似乎並不在徐先生關懷的範圍之內。而且我們有理由相信，即使確知由國民黨所發動，他也會本著「相與為善」的原則而參加「合作」。因為他在此文中非常強調地說：

國民黨今日能夠存在的重大理由之一，便是它畢竟還是擔負著中國的傳統文化。[33]

就我所了解的國民黨在這一階段的心態而言，它動員組織包括通過中常會，來「圍剿」胡適，可以說是理有必然，事有必至。前面我們已經看到「孔孟學會」的成立和三民主義研究所「救起中華民國垂危的文化」呼聲。這都是「圍剿」前不久的事。一九六二年二月二十四日蔣介石初聞胡適死訊之後，竟在《日記》中寫下了「去一大障礙」五個大字。[34]當時國民黨的整體氛圍如此，則大「圍剿」何足為奇？以徐先生對國民黨認識之深，眼見批胡聲勢之浩大，必一望即知為預謀行動。知之而毫不避忌，正可見他認為這是理所當然的事。

但是我要立即鄭重聲明，以上對大「圍剿」事件的歷史重構，用意並不在揭發

32 見同上書，頁一七二。

33 同上書，頁一七五。

34 按：《日記》已有排印樣本，但未出版，不便多引。

徐先生和《民主評論》派的過度妥協，而是要展示他們所面對的特殊困難。我詳記此事，因為它充分暴露出：牟宗三先生的第二原則——「凡尊重孔子者皆可合作而相與為善」——在實踐中怎樣不可避免地導至原則的反面：不是「相與為善」，而是「相與為惡」。徐先生說，他之批胡是因為「胡適罵東方文明沒有靈性」，這句話我相信是真誠的。恰巧以廖維藩領先的國民黨「孔家店」也以同樣的理由向胡適發難，而所標舉的目的復與《民主評論》派完全一致，即維護中國傳統文化。在這種形勢下，徐先生認為雙方「可以合作而相與為善」，毋寧是極其自然而又合情合理的。但問題出在國民黨「孔家店」這一方面。

國民黨以「孔家店」緣飾一黨專政以至個人專制，上面已說過了。這和《民主評論》派，尤其是徐先生，強調中國傳統文化必須與自由民主結合起來，完全是背道而馳的。最後我要引一個生動的史證以澄清國民黨「孔家店」的性質。

一九五六年十月蔣介石先生在七十歲生日之前，表示「婉辭祝壽」，但願意大家向他提出有關國事的意見。因此台灣報章雜誌都紛紛響應號召，推出祝壽特刊。此中最受矚目的是《自由中國》的專號（第十五卷第九期，一九五六年十月三十一日出版），四個半月之內（一九五七年三月十六日）便加印至第九版。這一期有不署名「社論」一篇，題為〈壽總統蔣公〉，似是代表《自由中國》的集體主張。「社論」中提出三項具體的建議：一、依照憲法，總統連選得連任一次，蔣先生的任期祇剩下三年多了。因此第三任總統怎樣繼任的問題必須及早加以研討。「社論」說：「國家究竟也不能長期仰仗蔣公一人的照顧。」二、確立責任內閣制。照憲法規定，全國施政權在行政院，不在總統府。但在實行中，「國家成了一個由蔣公獨柱擎天的局面。」這一情形必須改變。三、軍隊國家化。「社論」指出目前情況是僅憑蔣個人威望來統率三軍，「這種辦法又是否能與我們所希望建立的民主政治相符合？」[35]很明顯的，這篇「社論」將蔣介石的長期執政和大權（包括軍權）獨攬看作是民主政治不能出現的主要原因。這一評論和後面十五篇論文大體上是互相呼應的。例如胡適認為憲法中的總統既無實權，蔣先生何妨試用「無智、無能、無為」六字訣，「努力做一個無智而能『御眾智』，無能無為而能『乘眾勢』的元

35 見《自由中國》第十五卷第九期，頁三—四。

論斷。

首」呢？[36]又如雷震論「國防制度」，特別強調「建立軍事制度必須使軍隊成為國家之軍隊，不能為一黨或一人所有。」[37]這也明明是針對國民黨和蔣介石而作出的論斷。

以上所引祝壽專號的評論代表了《自由中國》的一貫立場，同樣的觀念在這本刊物中，已先後以各種不同的方式表述過，國民黨方面也早已耳熟能詳。交代了這一歷史背景之後，我們才能懂得國民黨的祝壽序文。同年十月三十一日國民黨中央委員會為「恭祝總裁七秩華誕」，設立壽堂，全日舉行簽名祝壽。壽冊前有壽序一篇，全文如下：

天生聖哲，應五百年名世之徵；民有依歸，慰億兆人來蘇之望。維我總裁，聰明睿智，領袖群倫，作革命之樞機，為黨國之柱石。聲名洋溢於世界，事功彪炳於人寰。當去邠之際，敵愾維殷，興廣夏之謀，自強不息，生聚教訓，宵旰矢勤，掃蕩澄清，瞬息可睹。光華日月，呈元首之麟祥；叱吒風雲，待大人之虎變。歡呼頌稀齡之壽，壽并河山；簽祝表同德之心，心堅金石。中國國民黨中央委員會全體敬獻。[38]

這是一篇絕妙的「孔家店」作品，徹底否定了《自由中國》祝壽專號上的評論，讓我略作解讀。首先，序文開頭便引《孟子》「五百年必有王者興」的名言（〈公孫丑下〉），不過「王者」已升格成「聖賢」。「民有依歸，慰億兆人來蘇之望」句，必須和下文「去邠」語合讀。「去邠」也見於《孟子》（〈梁惠王下〉），指大陸人民嚮往蔣公，正如邠人之追慕先周太王。以「五百年名世之聖賢」，又負「億兆人來蘇之望」，蔣公豈能隨意引退？明乎此，則《自由中國》的疑問——國家為什麼「長期仰仗蔣公一人的照顧」——便煥然冰釋了。其次，「興廣夏之謀」以下數句是以夏之「少康中興」比擬「反攻大陸」。這件大事更非蔣公領導不可。因此他「宵旰矢勤」，造成了《自由中國》所謂「獨柱擎天的局面」。胡適竟勸他「無智、無能、無為」，豈不是笑話？最後，「掃蕩澄清」、「叱吒風

36 同上，頁八。

37 同上，頁二六。

38 原載《中央日報》一九五六年十一月一日，引自《胡適日記全集》，台北：聯經，二〇〇四，第九冊，頁二五三—二五四。

雲」同指軍事行動而言，但必「待大人之虎變」始見奏功。蔣公能以個人威望來統率三軍，便是為「大人虎變」創造了先決條件。此時此地而要求「軍隊國家化」，從國民黨的觀點看，最低限度也應說是不識時務。

如果上面的解讀尚無大誤，這篇「孔家店」式的壽序絕不可視為一般文學侍從之士的應景之作。它是經過仔細推敲而寫成的表態文章，否則何以與《自由中國》專號中的主要論點一一針鋒相對，至於此極？所以我認為這篇壽序最能證實國民黨開「孔家店」，主要是為一黨專政和蔣的個人專制建立一種意識形態的基礎。這個「孔家店」以維護中國傳統文化為幌子，但卻隨時隨地阻止現代普世價值如民主、自由、人權、法治等在中國的實現。

國民黨「孔家店」的性質獲得澄清之後，《民主評論》派的特有困境也清楚地顯現了出來。《民主評論》派一直把國民黨當成「反共」和「尊孔」的盟友，前引牟宗三先生的三大原則即其明證。但國民黨雖然「反共」，卻自一九二四年改組以來，便已採取了與共產黨相同的一黨專政體制；至於「尊孔」，則如前文所示，旨在加強專制，與《民主評論》派將傳統文化和民主自由相結合的努力恰如南轅北轍。所以在對胡適最後一次大「圍剿」中，徐復觀先生為維護傳統文化而「大張撻伐」，本是他個人獨立自發的行動；對照之下，以國民黨「孔家店」之持續不斷的攻勢，則是一場有組織的集體行動，旨在除去「一大障礙」。雙方同床異夢，雖相涉而實不相掩。但由於後者人多勢大，徐先生的一切作為最後竟都淹沒在「孔家店」中，以致招來同受「收買」之謠。這不僅對徐先生是一大侮辱，對《民主評論》更構成了重大的傷害。由此可見，《民主評論》派祇要和「孔家店」進行「相與為善」的「合作」，便無可奈何地招來「曲學阿世」或「幫助國民黨一黨專制」的嫌疑，而且這樣的嫌疑得之易而去之難，因為自我表白往往無效。徐先生本人對這一點是很敏感的，有時還採取某種微妙方式來表達他的真實意向。例如他在胡適死後五日所寫的〈正告造謠誣衊之徒！〉中說：

> 當二月二十四日夜裡，我聽到胡適之先生逝世的廣播時，我同樣地一夜沒有睡好覺，在深夜裡提起筆來寫悼念他的文章，還跑到台北停靈的地方去弔念他。[39]

39 《徐復觀雜文補編》，第二冊，頁一七三。

讀了這一段動人的回憶，我們便無法不相信他接著而來的自我表述：他雖然批評胡適的文化觀點，但在爭取民主自由這一方面，卻是擁護他的。所以我感覺這是徐先生刻意在他和「孔家店」之間劃清界線，而字面上卻不落痕跡。我可以肯定地說，徐先生自始至終都緊守著《民主評論》的基本立場，即一方面維護以儒學為中心的傳統文化，一方面爭取民主政治的實現，並努力將這兩大價值系統結合起來。

不僅徐先生如此，《民主評論》的另外兩位新儒家大師——唐君毅和牟宗三——也走著大同小異的道路。限於篇幅，這裡不能再對君毅師的思想展開論述，有興趣的讀者祇要一讀他的〈學術思想之自由與民主政治——答徐佛觀先生〉，便可得其梗概。[40]至於牟先生對於自由與民主認識之真切與承當之深重，彭國翔先生在本書已作了詳實而生動的歷史重建，這是我們應該特別感謝的。儒家一向相信「知之匪艱，行之惟艱」。牟先生的「行」比他的「知」，更為動人。一九八〇年代以後，他曾多次受邀回大陸，但是他堅持：「中共不放棄馬列主義的意識形態，絕不回去。」[41]「孔子西行不到秦」的精神在此完全體現了出來。

台灣民主化之後，「孔家店」失去了存在的空間。但上世紀末葉以來，一個規模浩大的新「孔家店」卻在大陸上悄然興起；今天由隱而顯，山東曲阜竟已成為它發號施令的中心了。背景是十分清楚的：原來的「馬家店」雖未關門卻已歇業，沒有新店取而代之，生意便做不成了。新「孔家店」將越來越興旺，這也是可以預卜的。但對於所有高舉「儒家」旗幟的人，這將是一場接著一場的無窮考驗。新一代「儒家」之中還有人能上追《民主評論》派「出淤泥而不染」的風格嗎？讓我們拭目以待。

二〇一六年一月五日於普林斯頓

（原載《智者的現世關懷：牟宗三的政治與社會思想》，聯經出版，二〇〇六）

40 見《民主評論》第四卷第十八期，一九五三年九月十六日。徐復觀為此文所寫的「按語」收在《徐復觀雜文補編》第一冊，頁四九〇—四九四。

41 見《智者的現世關懷》，頁四五五。

第四屆國際漢學會議開幕致詞

中央研究院第一次召開國際漢學會議是在一九八〇年，原本希望以後每十年召開一次。今年是第四屆，但距第三屆已十二年，算是遲了兩年。

事實上，早在一九五九年已有人提議本院應該召開漢學會議。當時的院長是胡適之先生，他認為台灣的漢學研究無論在質還是在量的方面都還沒有達到他所期待的水平，因此力主緩議。這一提議卻引起了他對於所謂「漢學中心」的記憶和感慨。他說：

> 二十年前在北平和沈兼士、陳援菴兩位談起將來漢學中心的地方，究竟是在中國的北平，還是在日本的京都，還是在法國的巴黎？現在法國的伯希和等老輩都去世了，而日本一班漢學家現在連唐、宋沒有標點的文章，往往句讀也被他們讀破了。所以希望漢學中心現在是在台灣，將來仍在大陸。

但六十三年後的今天，我們對於胡先生的「漢學中心」說已有完全不同的理解。試一回顧過去五、六十年間漢學的發展，我們可以得到以下兩點認識：

第一，漢學已加速度地擴散到一切專門學科之中，不但人文和社會科學的每一部門中都包涵著越來越多的漢學研究，而且在中國科技史的廣大領域中，自然科學的各部門也和漢學日益緊密地結合在一起了。於是出現了一個奇詭的景象：漢學一望無際，觸處皆是，但是漢學作為一個專門學科（academic discipline）卻並不獨立存在，因為漢學研究基本是寄託在其他學科之中的，如語言、文學、歷史、哲學、藝術、宗教之類。

第二，二戰以後各國漢學研究都取得了重要的成就，可是「漢學中心」卻未在任何地方出現。不用說，漢學研究在各國活躍的情形頗不一致，但即使是最活躍的國家也未曾取得公認的「中心」地位。事實上，如果我們分別考察各國漢學研究的大體趨向，便不難發現：主要由於研究的傳統和關注的問題彼此不同，每一地區的漢學都或多或少地展現出一種獨特的歷史和文化風貌。世界文化是多元的，漢學研究的傳統也不能不是多元的，這是我們今天共同承認的基本事實。

基於以上兩點新認識，我們可以十分肯定地說，胡適和他的朋友們當年最所縈心的「漢學中心」何在的問題，今天已自然而然地消逝了。如果有人堅持要在這個問題上討一個明確的答案，我祇好說：漢學猶如十六世紀布魯諾（Giordano Bruno）構想中的宇宙，其中心無所不在，其邊緣則無所在（"Its center is everywhere, its periphery nowhere."）。

自本院一九八〇年召開第一次會議起，我個人每一屆都曾參與準備工作。因此我可以很負責地說，我們的唯一目的便是給世界各地漢學研究者提供一個充分交流的學術平台，所謂「漢學中心」問題從來不在我們的考慮之內。我們承認並且尊重每一地區漢學傳統的獨特風格，但是我卻不願看到任何漢學研究社群走上自我封閉的道路。因此不同傳統之間的互相溝通、互相認識和互相影響是極其必要的。我們相信，過去本院主持的三次會議多少曾發揮了這樣的功能。我們希望本屆會議也能作出同樣的貢獻。

我以最誠摯的心情感謝各地漢學同道們前來參加會議，特別是遠道冒暑而至的朋友們。我預祝大家有一次成功而愉快的學術聚會。

我個人因事不能到會，謹致最深的歉意！

二〇一二年六月二十日

（原載《華人的心理行為：全球化脈絡下的研究反思》，中央研究院，二〇一三）

輯三

《鄉村社會的毀滅》序

謝幼田先生這部《鄉村社會的毀滅》是長期耕耘的一大收穫。二〇〇二—二〇〇五年他在美國史丹佛大學的胡佛研究所辛勤地進行了三年的研究，寫成書的初稿；後來又不斷修訂增補，終於達到了可以刊布於世的階段。承作者給我預讀定稿的榮幸，茲略述所感，以答雅意。

本書前三章提供了歷史背景：一方面對中國傳統的社會性質，特別是明、清以來的農村社會，作了一個整體性的描述；另一方面又將毛澤東所繼承的暴民政治的根源加以疏理。這三章涉及近代以前中國史的全部，其複雜的情況實在難以想像。

但作者藉助於現代史學家、哲學家、社會學家等的討論，整理出一個化繁為簡的綱領，為讀者提供了理解的方便。

在第四、第五、第六三章中，作者則運用極其豐富的資料，展示了毛澤東和他的黨怎樣憑藉暴力，首先在全國鄉村中挑起「階級鬥爭」，大規模地屠殺所謂「地、富、反、壞……」等「分子」，接著將中國農民全部農奴化，最後相當徹底地完成了鄉村社會的毀滅。第四章第三節（「毛澤東暴力革命之路」）、第五章第三節（「殺人比賽」）和第六章第二節（「新式農奴」）是特別值得細讀的。

在這篇短序中，我只能稍稍澄清一下毛澤東所領導的「革命」與農民的關係。毛的「革命」戰略以「鄉村包圍城市」著稱，中共的軍隊也確以農民為主體，而且不可否認的，「土地改革」對於農民是有一定程度的號召力的。由於這些原因，一般人曾相信：中共的「革命」代表了農民的利益。在二戰期間中共也特別刻意地向西方製造這一公共形象，所以美國人，至少「中國通」，都說中共只是一個「農業改革者」的黨。但祇要稍稍考察一下歷史事實，我們便立刻看出：毛和他的黨徒從來沒有把農民的利益放在心上過。對於農民，中共先用一些甜頭誘他們入夥，因「革命」必須有基本群眾。所以毛試圖以「分田分地」的土改，把農民爭取過來，為他賣命打仗；等到農民上了賊船以後，便只好一切任人擺布了。本書作者曾引劉少奇一句話，是在一九四七年全國土地會議上說的：「搞土地改革，就是為了打勝仗，打倒蔣介石。」這句話充分暴露出，在中共的心中，農民只有工具價值，即奪取政權的手段。這和孫中山的「耕者有其田」完全不相同，孫的主張才真正符合農民的利益。馬列主義既以消滅私有財產為建立社會主義新社會的先決條件，則農民最後必成為「革命」的對象。俄國共產黨的革命史首先在這一方面樹立了典範。列寧承繼了恩格斯的觀點，相信農村中失去土地的無產者，在一定的條件下，可以和城市中的產業工人結成聯盟。因此他在一九一七年曾鼓動農民分田分地。但這完全是奪權的一種策略。一九一八年八月以後，他已決定過河拆橋，展開了對鄉村的階級鬥爭。鬥爭的對象在表面上是地主、富農、中農，然而在實行中任意擴大鬥爭面，傷害了幾乎所有的農民。

毛和他的黨效法列寧（及史達林），亦步亦趨，土改（一九四九—五〇）剛剛結束，便迫不及待地，在一九五一年底公布了關於農業合作的「決議」，準備消滅農民的土地私有權了。一九五二年這一官方導演的「合作」運動即已頗具規模，到了「大躍進」時期，「人民公社」成立，中國的農民便普遍淪為作者所謂「新式農奴」了。由此可見毛和他的黨從一開始便對農民沒有任何善意，在利用了他們的人力打下天下之後，立即棄之如敝屣。毛的心中對此是十分清楚的，所以梁漱溟戳穿他的欺世盜名，當眾指出農民的生活「在九地之下」，他猝不及防，惱羞成怒，至於失態到不堪入目的地步。

毛和他所領導的「革命」自始便不為安分守己的中國農民所認同，當年井崗山上的情況便是最好的說明。伊羅生（Harold R. Isaacs）是一位國際共產黨人，曾在中國參加過共產「革命」多年，後來寫了《中國革命的悲劇》一書，這部書中資料是由中共黨人劉仁靜協助取得的，又採訪了共產國際「領袖」如托洛斯基、馬林等人，所以早已成為這一領域中的經典文本。伊羅生告訴讀者：井崗山上的「紅軍」並不是從大規模而自發的農民運動中產生的。相反的，這支「紅軍」根本孤立於農民之外，其中農民出身者則不斷逃散。而且在江西蘇維埃時期，農村中人不但不支持「紅軍」，還把它當作「土匪」來攻擊。伊羅生的結論又得到《龔楚將軍回憶錄》的進一步證實。龔楚恰好是追隨毛澤東上井崗山的紅七軍軍長。他親自策動並組織所謂「蘇維埃運動」。但從他的體驗，一般工人和農民都對暴力革命不感興趣，祇有遊手好閒的流氓、地痞之流才響應「打土豪、分田地」的號召，妄想藉此發財。這一情況和蘇聯的革命經驗大致相合。在一九一七年的二月革命期間，俄國鄉村公田（communal lands）的農民，因為耕地重新分配的關係，曾稍稍參與革命活動。但公田重分之後（俄國公田照例每十幾年重分一次，因各戶人口經常在變化中），他們便遠離革命，依舊擁護君主制。至列寧領導的十月政變，農民則認為是城市中人的事，因此毫不關心。

農民並不擁護中共的暴力革命，從上述的事實中我們已看得清清楚楚。但是中共打天下成功，其兵源確是來自農民，這一現象又將如何解釋呢？我過去寫過一篇〈打天下的光棍——毛澤東一生的三部曲〉（收在《歷史人物與文化危機》，台北：東大，一九九五），主要便是分析這個問題。扼要地說，中共最初領頭搞「革命」暴動的主要都是一些不務正業的人，上引龔楚稱之為「地痞、流氓」，古人稱之為「江湖上人」或「光棍」，此外還有其他名目，不必備舉。我則改用一個價值中立的社會學名詞，即「社會邊緣人」。中共這個黨大致是由農村社會邊緣人和城市社會邊緣人兩大集團構成的。邊緣人是在「務正業」的士、農、工、商以外的人群。以傳統社會言，如「不第秀才」即是「士」的邊緣人，「地痞流氓」則是「農」的邊緣人……。二十世紀中國的社會比過去複雜多了，邊緣人的類型也跟著越來越多樣化。不過無論繁衍到多少類型，邊緣人有一個共同特徵，即不能安分守己於任何一種「正業」。一言以蔽之，在社會處於動盪的狀態下，他們往往成為變亂的源頭。中共黨內集現代各種邊緣人的大成，他們善於利用機緣，並通過黨外的邊緣人，把一般群眾煽動起來，加以組織；共產黨在各地發動的暴力革命大體上都依照這一方式，伊羅生和龔楚所留下的紀錄是可信的。

以農村的情形而言，上面已說過，從龔楚的報告，中共發動江西「蘇維埃」，務正業的農民都避之唯恐不及。三十年代在江西主持剿共的熊式輝，晚年寫過一部回憶錄——《海桑集：熊式輝回憶錄》。據他一九三五年二月五日的一次演講，江西有些地區的農民對於中共分給他們的土地抱著十分保留的態度。例如黎川農民分得土地後，竟仍然向逃亡在外的原來地主納租，而廣昌農民在土地重新分配之後，則只耕他們原有的田，不耕新得的田。龔楚和熊式輝當時在江西處於敵對的立場，但所見到的實際情形則恰好可以互相印證。不但如此，從江西流竄到四川的徐向前部隊也同樣遭到當地農民的抵抗和攻擊。（見李璜《學鈍室回憶錄》）所以我們祇要稍稍檢查一下歷史事實，農民擁護共產黨的謊言便立刻不攻自破了。

至於中共軍隊以農民為主體，這是因為中共占據了農村之後，將他們「裹脅」

進來，並不必然出於自動自願。這裡所謂「裹脅」是中國史上「流寇」或「造反」集團行之已久的策略，毛澤東熟讀這一方面的歷史，當然出色當行。「裹脅」指邊緣人領頭造反之後，所至之處，通過搶大戶或官府糧倉的違法活動，將一般農民卷了進來。一旦農民參加了這一類的活動，由於怕「秋後算帳」，便只好跟著邊緣人的領導走上不歸路了。中共是共產國際的一個分支，奉行列寧、史達林一套嚴密的組織方法，對中國傳統的「裹脅」策略的運用，更為靈活而多樣化，所產生的效果自然也遠非張獻忠、李自成一流人所能比擬的了。

最後讓我澄清一下所謂「農民起義」或「農民革命」的概念，以結束這篇序文。本書作者在第二章的結尾處指出：明末張獻忠率領的流民，雖來自農村，也曾經是農民，但他們打家劫舍既久，已成為職業的土匪、暴民之類；他們和真心耕田農民的利益是衝突的。作者又根據史學家李光濤的研究，證實明末流民軍隊中有大批的「邊兵」、「逃兵」、「礦徒」、「驛卒」、「白蓮教」……等。這些人才是造反的主動力量，而農民則是被動的。我認為作者這一論點十分重要，和前面提到的「社會邊緣人」之說是完全可以互相印證的。我也贊同李光濤的見解，「農民起義」（或「農民革命」）是一個誤導讀者的名詞。但是我還要進一步強調：這種情況不限於明末張獻忠、李自成的造反，而適用於中國史上所有大規模的造反運動，從秦末陳勝、吳廣開始。陳勝早年為人「傭耕」時使不肯作安分的農民，所以才會說「茍富貴、毋相忘」的話。後來陳、吳同為「戍卒」，謀造反，又搞出種種「鬼」的把戲，以「篝火」、「狐鳴」來激怒群眾。他們是不務正業的「邊緣人」，已昭然若揭。又如唐末黃巢造反，即起於私販鹽、酒的武裝集團。黃巢勢力最盛時有兵六十萬以上，其中農民自然占多數，但組織者與領導者都是所謂「江湖上人」。販私鹽、私酒的「江湖上人」早就自我武裝起來，在各地流竄，一旦遇到水、旱等天災便自然乘機把饑民煽動起來，跟著他們打天下了。邊緣人在所謂農民造反中往往發生決定性的導向作用，不僅在中國為然，在西方也是如此。恩格斯在《日耳曼農民戰爭》中研究十六世紀日耳曼農民的階級鬥爭，也發現所謂「江湖浪蕩之人」都是一些「不可信託的分子」，但他們在農民隊伍中進進出出，發生了很嚴重的負面影響。（按中譯本《德國農民戰爭》的「德國」一詞是誤譯。「德國」的建立在一八七一年，十六世紀時尚不存在。）

邊緣人利用農民「打天下」是中國史上的一種傳統。毛和他的黨也確實在很大的程度上繼承了這一傳統，不過他們打下天下後所建立起來的不是傳統的「專制王朝」，而是現代的「極權黨朝」而已。

（原載《鄉村社會的毀滅》，明鏡出版社，二〇一〇）

《中國文化大革命文庫》光碟序言

宋永毅先生和他的朋友們費了整整四年的功夫，歷經種種艱辛，編成了這一部《中國文化大革命文庫》光碟。這部文庫收集了一萬篇以上的原始文件，總字數接近三千萬，真不愧為一項「浩大的史料編纂工程」。《文庫》以類相從，分成七個單元，所收的都是第一手資料，為將來研究文革的學人提供了最方便、最重要的原始資料彙編。參加這項計畫的八位學者，包括宋永毅先生在內，都是卓然有成的專才。他們各自在專業的崗位上，利用公餘的時間，遍訪世界各地的亞洲圖書館，搜尋一切有關的文件。這一困苦的過程，只有「集腋成裘」的成語才能勉強形容其萬一。英國著名史學家屈維林（G. M. Trevelyan）有過一句名言：「去收集法國大革命的事實吧！你一定要下至地獄，上至天堂，去把它們找回來。」（Collect the facts of the French Revolution! You must go down to Hell and up to Heaven to fetch them.）無巧不成書，現在《文庫》的八位編者竟在無意之間把這句名言實踐在《中國文化大革命文庫》光碟這一任務上。宋永毅先生還真的下過一次地獄。我清楚地記得，幾年前他為了收集資料，失去了幾個月的自由，成為當時舉世矚目的國際事件。沒有史料便根本不可能有史學，所以作為史學園地中的一個耕耘者，我必須在這裡向宋先生和他的朋友們致以最大的敬意。

我細讀了《文庫》的全部目錄之後，好像重溫了幾十年前的一場噩夢。第五部分的報刊社論是我最熟悉的；這些文字當年是順著發表的次序，一篇一篇讀過的。那種驚心動魄的感覺現在又整個地從記憶中陡然復蘇了。我不過是文革的一個海外旁觀者，情緒尚如此激盪，《文庫》編者是曾經身歷其境的人，他們在長期編纂過程中所感受到的精神痛苦，更可想而知。這樣看來，《文庫》所收的一切文件絕不能和一般所謂歷史檔案等量齊觀，因為其中仍然躍動著強烈的生命。我可以毫不誇張地說：這裡每一個文件的後面都隱藏著數不盡的血和淚。我們不難想像，當年每一個文件發布的前後，有多少活生生的個人遭受到精神的屈辱和身體的摧殘，更有多少本來很幸福的家庭頃刻之間變成「家破人亡」。研究《文庫》中的文件，若不能接觸到背後那些無數淹沒在血河淚海中的生命，便不免空入寶山了。

宋永毅先生在中指出了關於文革研究的一個奇特現象：即一方面是海外有「說不盡的文革」，而另一方面在中國大陸卻是「被禁忌的文革」。一九七八年以後，中共官方事實上已完全否定了文革，我們只要一讀《文庫》第一部分有關中共文件最後十一年（一九七八—一九八八）的目錄便已昭然若揭。但是在同一時期，我們又看到了許多關於文革研究的「禁忌」的規定。最明顯的是一九七九年三月十五日「中共中央關於提醒全黨維護毛主席形象的通知」，一九八八年十二月十日「中共中央宣傳部關於出版『文化大革命』圖書問題的若干規定」。中共為什麼如此自相矛盾，一方面否定文革，另一方面又維護文革呢？答案並不難找：一九七八年後，以鄧小平為首的領導班子都是被文革打倒的人，他們如果不否定文革，在黨內便沒有合法性了。但是文革的根源如果步步追究下去，到達其邏輯的終點，則整個政權的合法性卻又將成為問題了。「投鼠忌器」，這是中共不得不為文革研究設下許多限制的根本原因。巴金關於建立「文革博物館」的提議之所以得不到官方的任何迴響，是絲毫不必奇怪的。

「被禁忌的文革」這一事實對於我們怎樣認識和研究文革具有極大的啟示作用。什麼啟示呢？我們絕不能把文革孤立起來，看作是中共「革命」進程中一個偶然的「意外」或「偏差」。中共官方今天把文革定性為毛澤東的「晚年錯誤」，便是有意誤導我們的思路。文革是有組織、有計畫的暴力行動，而且是革命暴力的最高階段。但這既不是「意外」也不是「偏差」，而是革命暴力落在一個絕對獨裁者掌握之中的必然結局。列寧、史達林、希特勒、墨索里尼都曾運用有組織的暴力，有系統地進行消滅所謂「敵人」的運動，一波接著一波。正如俄國史名家派普思（Richard Pipes）所指出的，毛澤東的「文化大革命」不但師法列寧、史達林，而且也參考了希特勒的經驗。（見*Russia Under the Bolshevik Regime*, New York A. A. Kropf, 1993, p.281.）列寧在建立政權後的第二年，即一九一八年九月，正式採用了「紅色恐怖」（Red Terror）的統治方法。毛澤東一切照抄，也在一九五〇年藉口「土改」和「鎮反」，展開了大規模的屠殺。「紅色恐怖」從此便籠罩著中國的大地，文革不過是最後一個高潮而已。《文庫》第六部分收有紅衛兵的一篇文獻，題目是「鬼見愁——紅色恐怖萬歲」，恰好證實了文革是「紅色恐怖」的必然發展。

我們衷心地歡迎《中國文化大革命文庫》光碟問世，為革命暴力蹂躪中國，保存了最寶貴的紀錄。但是研究文革首先必須具備歷史的眼光（historical perspective）：它的近源是一九四九年的巨劫奇變，遠源則是一九一七年的俄國革命。只有認識到這一點，《文庫》的價值才會充分地顯現出來。

二〇〇一年十二月二十日於普林斯頓

（原載《中國文化大革命文庫目錄索引》，香港中文大學中國研究服務中心，二〇〇二）

為中國詩史別開生面

——《文革詩詞鉤沉》序

梅振才先生是一位充滿著社會關懷的詩人，同時也是一位修養深湛的古典文學的愛好者。以上兩重條件中任何一項都是不易取得的，而梅先生兼而有之，真是難能可貴。正因為他二美並具，我們今天才有幸讀到這部《文革詩詞鉤沉》。

讀者如果想對《鉤沉》有深一層的理解，首先必須細讀梅先生的自序——〈難忘舊日雲煙〉和附錄長文——〈文革詩詞見證歷史〉。從自序可知梅先生近幾年來一直在編寫《百年情景詩詞選析》（已由北京大學出版社刊行，二〇〇五年），《鉤沉》可以說是《百年詩詞》的一個續編。附錄長文則明確標出：《鉤沉》的主旨在於「以詩證史」，不僅僅保存這十年中的吟詠篇章而已。合起來看，我們便可以斷定，《鉤沉》所繼承和發揚的原來是中國「詩史」的光輝傳統。因此，我決定追溯一下中國文學史上「詩史」的觀念，以答梅先生索序的雅意。

孟子曾說過：「王者之跡熄而《詩》亡，《詩》亡然後《春秋》作。」（〈離婁下〉）這是他感慨周代王者派人到民間采詩的制度至春秋末期已廢止了，詩當然也沒有人收集了。針對著這一「詩亡」的狀態，於是孔子才創作了《春秋》這部書。稍一推究便可知，在孟子心中《詩經》即是一部周代的史記。《春秋》繼《詩》而起正是由於孔子不願意看到歷史記載的中斷。所以詩與史為一體之兩面，在中國是自古已然，可謂中國文化的一大特色。這和亞里斯多德在《詩學》篇中重詩而輕史，完全不同。

孟子的話已隱然涵有「詩史」之義，不過尚未明白點出；作為一個正式的概念，它的起源大概不能早於唐代。《新唐書》卷二〇一〈文藝上．杜甫傳〉贊曰：

甫又善陳時事，律切精深，至千言不少衰，世號「詩史」。

就我個人閱覽所及，「詩史」一詞見諸文字，這是最早的一例。但此處「詩史」專指杜甫個人而言，贊許他的「詩」同時可以當作「史」來讀，甚至比一般記事之文更生動地保存了歷史真相。

我這裡所謂「詩史」，則涵義頗有不同，是指收集一代之詩以存一代之史的編纂工作。這一傳統始於元好問（遺山，一一九〇－一二五七）《中州集》，後來又在錢謙益（牧齋，一五八二－一六六四）《列朝詩集》中得到繼承和發揚。讓我先對這兩部詩史作一簡要的介紹。

據郝經〈遺山先生墓銘〉，遺山在金亡之後便立志修有金一代之史，但得不到官方的支持，他最後決定以個人的力量搜集並編纂《中州集》和《金源君臣言行錄》兩部大書。郝經對他的編輯過程有下面一段動人的敘述：

> 往來四方，采摭遺逸，有所得輒以寸紙細字，親為記錄，雖甚醉不忘於是。雜錄近世事至百餘萬言。捆束委積，塞屋數楹，名之曰「野史亭」。（見《陵

川集》卷三十五）

遺山不忘故國，其《中州集》的主旨所在顯然是「以詩存史」，請看下面這個例證。史旭（字景陽）曾有一首詩譏刺金人在平時竟變騎射為一種遊樂，原詩去：

郎君坐馬臂雕弧，手撚一雙金僕姑。畢竟太平何處用，只堪粧點早行圖。

遺山緊接著寫了下面的按語：

好問按：景陽大定（一一六一——一一八九）中作此詩，已知國朝兵不可用，是則詩人之憂思深矣。（《中州集》卷二）

他編詩史《中州集》的深心也在這幾句話中和盤托出：他不但要保存有關金源一代的歷史記憶，而且還進一步反思金源為蒙古鐵騎所滅的深層原因。所以他〈自題中州集後五首〉之五說：

平世何曾有稗官，亂來史筆亦燒殘。百年遺稿天留在，抱向空山掩淚看。

（《遺山先生文集》卷十三）

遺山《中州集》的詩史傳統直接影響了錢謙益，他在〈列朝詩集序〉中說：

錄詩何始乎？自孟陽（按：程嘉燧）之讀《中州集》始也。孟陽之言曰：「元氏之集詩也，以詩繫人，以人繫傳，中州之詩，亦金源之史也。吾將仿而為之，吾以采詩，子以庀史，不亦可乎？」山居多暇，譔次國朝詩集，幾三十家，未幾罷去。此天啟（一六二一—二七）初年事也。越二十餘年而丁陽九之難……復有事於是集，托始於丙戌（一六四六），徹簡於己丑（一六四九）。乃以其間論次昭代之文章，蒐討朝家之史集，州次部居，發凡起例，頭白汗青，庶幾有日……惜孟陽之草創斯集而不能丹鉛甲乙，奮筆以潰於成也。

（《有學集》卷十四）

據此序，可知《列朝詩集》的最初構想全出於《中州集》的啟發，不過由程、錢兩人分工合作，一「采詩」，一「庀史」而已。但不幸孟陽先逝，詩與史最後都落在牧齋一人之手。

牧齋在明亡之後獨力纂成《列朝詩集》，他的心情和金亡後的元遺山頗為相似，然仍有所不同。遺山《中州集》所收金源一代之詩已成一往不返之史，僅足供當時金遺民及後世之憑弔而已。但牧齋《列朝詩集》殺青時（一六四九）明朝流亡政權（永曆）仍殘存於雲南一隅。因此牧齋編集詩史不僅存故國之思，而且要借此激勵後起者參與復明運動。他在〈列朝詩集序〉中特別指出：他的詩史與《中州集》有一最不同之點，《中州集》以天干分集，自甲至癸，共十集；而《列朝詩集》則只分甲、乙、丙、丁四集。為什麼不只於「癸」而止於「丁」呢？他的理由是「癸」是「歸」的意思，即已終結；「丁」指「丁壯」，即暗示明朝未全滅，甚至尚大有可為。牧齋所用的隱語，當時便為同時遺民所識破。金堡（僧名今釋澹歸）〈列朝詩集序〉說：

> 《列朝詩集》傳虞山（按：錢謙益）未竟之書，然而不欲竟。其不欲竟，蓋

有所待也。……虞山未忍視一線滇南（按：永曆政權）為厓門殘局，以此書留未竟之案，待諸後起者，其志固足悲也。（見《徧行堂集》卷八）

這幾句話完全道破了牧齋的心事。《列朝詩集》作為詩史的涵義顯然比《中州集》又大大推進了一層。

以上僅是關於《中州集》和《列朝詩集》作為詩史的一個高度概括，但我們已清楚看到，這部《文革詩詞鉤沉》確是此一詩史傳統的現代化身，在「推陳」之中還有「出新」。《鉤沉》與《百年詩詞》在體例上是一貫的，即每一位作者各選一篇代表作，並各附一篇小傳。因此，就「以詩繫人，以人繫傳」的原則而言，這是承傳了《中州集》和《列朝詩集》的規模。我認為這是「推陳」的一面。但梅先生的詩史又有「出新」的一面。他的兩部詩史各有主題，如《百年詩詞》以歷史的「情景」為主題，《鉤沉》則以「文革」所造成的慘痛人生為主題。就特殊的主題而言，這又和《中州集》與《列朝詩集》之未設主題，而整體地包羅一代之詩與一代之史的方式有所不同。這是梅先生在承舊之中又有創新的地方。由於必須凸出主題的緣故，這兩部書都只能採取精簡原則，每一作者僅以一詩或一詞為限。唯有如此，主題才能得到最集中的呈現，但梅先生的文學眼光和功力也由此充分地顯露出來了。

梅先生跋《百年詩詞》中說：

「文革」十年是我年輕時代所經歷的刻骨銘心的歲月，我希望能夠挖掘出和保存下那些即將被湮沒的詩篇，為那段「史無前例」的歷史留下見證。（頁三〇七）

這一段跋語透露了《鉤沉》成書的動力所在。與《百年詩詞》的主旨不同，《鉤沉》不是賞析「情景」的讀物，而是編者在痛定思痛之後，要從這一段親歷的悲慘歷史中汲取深刻的教訓。因此全書脫稿後，他情不自禁地寫道：

鉤沉詩百首，龜鑒此中研。

作為一個讀者，我的感覺是梅先生為《鉤沉》所付出的精力和情感尚在《百年詩詞》之上。所以後者時限百年，而所收作者一百五十二人；前者時限僅十年而所收則達二百人之多。梅先生在「史無前例」時期所受到的「刻骨銘心」的煎熬，於此可見一斑。

最後，我還要澄清一個可能發生的疑問：《中州集》和《列朝詩集》都是亡國後的產品，那麼《鉤沉》是不是可以和元、錢兩家之書相提並論呢？為了解答這一疑問，讓我引顧炎武（一六一三—八二）一段著名的議論如下：

> 易姓改號，謂之亡國；仁義充塞，而至於率獸食人，人將相食，謂之亡天下。（《日知錄》卷十三）

「亡國」與「亡天下」之辨是顧氏對中國政治與文化思想史的一大貢獻，前人雖隱約有此意，卻未曾在概念上作出如此明確的劃分。依照這一劃分，「亡國」指王朝更替，用現代話說，即政權轉移。「亡國」在傳統政治史上當然是一種天翻地覆的大變動，但影響所及主要仍在統治階層之內，與一般庶民關係不大。「亡天下」則大大不同，是指維繫著文明生活方式的價值系統的大崩潰。顧氏「仁義充塞……人將相食」幾句形容詞是從《孟子．滕文公下》借來的，孟夫子這幾句話是特別針對當時「邪說暴行」禍亂天下的狀態而言的。文明的價值系統整體地崩潰則影響及於每一個人，因為「人之異於禽獸者幾希」（〈離婁下〉），而這「幾希」便恰恰在於價值系統之有無，文明與野蠻也以此為分野。分析至此，我們便可以完全斷定，「文革」正是一次不折不扣的「亡天下」之禍。理由很簡單：一九六六—一九七六這十年之間，「邪說暴行」席捲了整個中國大陸，中國傳統的文化價值和近百餘年來從西方引進的現代普世價值都為之一掃而盡。梅先生的《鉤沉》與「亡國」無關，卻折射出比「亡國」更慘痛的「亡天下」的經驗。在這一特定的意義上，《鉤沉》可以說為中國的「詩史」傳統開拓了一個嶄新的方向。

梅先生在「文革」中領取歷史教訓的一番苦心更是我所深為理解和同情的。《鉤沉》在今天問世，尤為恰當其時，因為最近幾年來有跡象顯示：「文革」的劫灰竟有復燃的可能。老左派和新左派，雖動機與目的不盡同，卻同在分途進行類似「文革」運動的活動。「文革」的根源本在「黨天下」的體制，只要根源仍在，誰也不敢保證「亡天下」之禍絕對不會重來。明白了這一點，我們更不能不敬佩梅先生的孤懷弘識。這部《鉤沉》不但具備重大的歷史意義，而且還涵有迫切的現實意義。

二〇一〇年三月二十二日於普林斯頓

（原載《文革詩詞鉤沉》，明鏡出版社，二〇一〇）

《秦城監獄：中國的政治監獄》序

一九七六年之前，「秦城」只是一個若隱若現的神秘所在，但毛澤東死後，「秦城」作為一個禁閉政治犯的監獄很快便在社會上傳開了。我相信，在今天中國大陸，人們私下閒談中如果涉及政治問題，「秦城」兩個字往往會脫口而出。上世紀九十年代以來，由於有關「秦城」囚犯的回憶錄、訪談錄和傳記之類的作品不斷刊行，這所監獄及其在過去五十年間運作的詳情也越來越透露了出來。不過到目前為止，還不曾有人選擇「秦城」為專題對象而進行綜合性、系統性的研究，以致我們對於這一獨特而又極其重要的制度仍無深度的認識。它的真正性質是什麼？它的功能為何？我們還不免茫然。但幸運得很，吳弘達先生完成了《秦城監獄》這部專著，將我們在當代中國認識中一片嚴重的空白填補起來了。

弘達撰寫此書，在資料上廣收了第一手和第二手的文本，在方法上則以深入分析和整體觀察相結合，其結果是產生了一部生動而真實的敘事，使「秦城」在清晰的歷史景觀中顯現出它的動態。本書首章為讀者簡介了秦城監獄的起源、結構和功能，其餘六章則通過一次接一次政治上的急劇大動盪來分析秦城監獄中人口構造的快速變遷，因為每一次政治大動盪都必然製造出一批新型的囚犯。從秦城監獄的特殊角度著眼，順著時序，各章檢討了六十年來所發生的一切大變動，幾乎無所遺漏。舉其著者，如五十年代有「高饒反黨聯盟」、「胡風反革命集團」、「彭德懷反黨集團」。六十年代有「文化大革命」，七十年代有「林彪反革命集團」和「四人幫」。八十年代末發生了震驚世界的「六四」民主運動，學生領袖和異議人士大批被關進了秦城監獄。九十年代以來，秦城監獄更踏入了一個嶄新的歷史階段：由於官僚體系的集體腐敗普遍流行，高級貪官竟一躍而為秦城監獄中最受注目的囚犯。這樣看來，正如弘達所說，秦城監獄是一面「巨鏡」，在它的照映之下，中共在過去六十年中的一切作為無不一一畢現原形。

在結束這篇序言之前，我願意談談秦城監獄和法律之間有無關聯的問題。在通常的情況下，我們總不免假設監獄是法制體系的一個組成部分。但就秦城監獄這一案例而言，這一假定是具有高度誤導性的，我完全同意弘達採用「中國的政治監獄」為本書的副標題，這是對於「秦城監獄」的確切定性。為了對這一論點作進一步的澄清，我想展示一下在中共的統治下，法律在中國究竟占據著怎樣的位置。

在中共嚴格遵照蘇聯模式建立的國家體制中，法律在任何時候都必須服從於黨的利益。列寧曾對無產階級專政作了如下的界說：「不受任何法律拘束的統治。」這也是中國共產黨所奉行的絕對性指導原則之一。列寧在一九一七年一筆勾銷了十九世紀中葉以來所建立的俄國法律，毛政權也依樣畫葫蘆，在一九四九年廢止了清末以來所逐步發展出來的全部法律系統。這裡應當順便說明一下，在二十世紀上半葉，法律恰好是中國在現代化方面取得了很大成就的一個園地。通過民國時期一系列的法律改革，西方所最重視的兩大原則——「沒有法律依據不得判罪」和「沒有法律依據不得懲罰」——也已進入了中國的司法系統。但不幸之至，共產黨一上臺，這些辛苦得來的成就便立即付之流水了。在毛澤東統治時期，中國已墮落為一個完全沒有法律（毛所謂「無法無天」）的國家。正如本書所示，從一九六〇年到一九八〇年秦城監獄中的囚犯沒有一個是經過合法程序進來的。即使在一九八〇年以後，送入秦城監獄的犯人表面雖經過法庭的審判，但大家都知道，他們的最後定案無一不是經由黨內相關部門的當局事先布置的；量刑的終極根據則不是任何法律條文，而是政治和宣傳方面的考慮。這種作法至今未變。

一言以蔽之，秦城監獄在中國極權體制中是一個發揮著實際作用的獨特機制。最確當地說，它是一個有力的政治工具，但卻隱蔽在法律外衣之下。正因為如此，它成為一個重大的關鍵，可以引導我們去真正地認識所謂「具有中國特色的社會主義」。所以我們必須對吳弘達先生表示深深的敬意，因為他對秦城監獄及其種種相關的複雜問題不但處理得井然有序，而且還極盡精詳之能事。

二〇一一年十二月五日

（原載《秦城監獄：中國的政治監獄》，勞改基金會，二〇一一）

《民族主義與中國前途》序

去年（一九九六）秋天，歐洲和美國的幾個重要的民運組織共同發起了一次「民族主義與中國前途國際學術討論會」。實際負責籌畫和組織的，則是王鵬令先生和他的朋友們。從王鵬令先生的「編者前言」中，我們知道這次會議是在一種完全開放的氣氛下進行的。會議盡到了「提供講臺」的功能，各種不同的觀點因此都表達得暢酣淋漓。這是十分可喜的現象，去年十月初會議期間，恰好我的工作很忙，分身乏術，未能與會，感覺十分抱歉。現在承王鵬令先生的雅意，要我為這部論文集寫一篇短序，我不敢堅辭，但限於時間，我只寫下幾點簡單感想。

第一，討論民族主義是最容易感情激動的，因為民族主義本身便是建立在民族情感的基礎之上的。但正因為如此，我們必須儘量訴諸理性，有容忍的雅量。對於不同的甚至針鋒相對的論點，我們一定平心靜氣地體察對方立論的客觀根據。過去一百多年來，中國知識分子為民族主義的問題也不知爭論過多少次，我所看到的是作者都能冷靜地說理。這是一個值得紀念的新的開端。我希望我們以後本此精神繼續深入地探討有關民族主義的問題。

第二，民族主義是近代到現代世界史上最重要的動力之一，但它的重要性在西方主流思想界一直沒有受到適如其分的重視。依照啟蒙運動以來的觀點，民族主義只是「現代化」早期的一個階段，等到「民族國家」形成以後，它便完成了它的歷史任務了。所以，無論是英、法、美的自由主義派或馬克思主義派，都對民族主義抱著負面的偏見。他們都幻想人類的普遍性價值——其實是以西方為中心所建立的價值——可以在不久的時間內消解一切不同民族之間的文化差異。馬克思主義更以「國際主義」為號召，提出「工人無祖國」的口號。其實這是因為馬克思是猶太人，早年一直想認同於日耳曼文化（特別是哲學），但始終不為日耳曼人所接受。馬克思主義者之中，猶太人占的比例非常高，這些都是想歸化於其他西方民族而遭到排斥的無國可依者。猶太人在以色列復國以前，確是經歷了長期的「無祖國」的悲慘境遇，有人曾問過托洛斯基：「你是猶太人呢？還是俄國人呢？」他答到：「都不是，我是一個社會主義者。」這是馬克思主義否定民族主義的價值的真正根源之所在。馬克思主義何曾代表「放之四海而皆準」的普遍真理？猶太人把自己「無祖國」的現實先驗地投射到「工人階級」的身上了。

據我所知，西方的自由主義者也要遲至七十年代才重新認識到民族主義的巨大力量。其中之一也是猶太人，即從俄國移民到英國的柏林（Isaiah Berlin）。但在所謂冷戰結束以後，民族主義的衝突在前蘇聯和東歐前共產國家普遍爆發，則是人人看得見的。經過五十到七十多年的共產黨極權控制和大規模「洗腦」，原來已看不見的民族文化的差異竟在一夜之間全部復蘇了。這一事實徹底證明了西方學術界過去對民族主義的認識至少是不夠全面的；他們所根據的主要前提，今天看來，都有重新檢討的必要。例如民族主義是不是僅屬於現代史上的現象？是不是在工業化、現代化以後，普遍的價值便可以基本上取代各民族文化的特殊價值？中國的民族主義是不是起於十九世紀中葉以後？以前中國史上所出現的強烈的民族意識是不是只是「前近代」的東西？它和近代現代的民族主義究竟是什麼樣的關係？我個人認為民族主義的研究必須重新展開；我們必須把最近幾十年的世界歷史經驗包括進去，建立新的研究典範。

第三，中國人的民族主義激情今天似乎又被推上了一個新的高潮，無論在中國大陸、香港、台灣、東南亞或西方的華人社區，都發展了這個傾向。這一次的民族主義的動力究竟來自何處？以前中國民族主義的高漲都發生在國家民族的「存亡危急」時期，如清末的「列強瓜分」，如日本的侵略。但今天中共控制下的中國大陸至少在表面上是「國富兵強」的狀態，蘇聯已經崩潰，美國的霸權也在退潮，歐美、亞洲各國都正爭先恐後地討好中共政權，希望在大陸的市場上分一杯羹；我們完全看不見任何「帝國主義侵略」的事實。為什麼民族主義偏偏在這個時候抬頭了呢？而且中國民族主義的主要傾向與所謂後冷戰的世界現象恰恰相反；它要求更大的統一與擴張。新疆和西藏地區誠然受到「後冷戰」的世界潮流的波動，那裡的少數民族確在要求更高的自主和自治。但這些傾向正在受到中共的暴力壓制。這樣看來，我們絕不可把目前這股民族主義的浪潮看作「後冷戰」世界動態的一個組成部分。它是另有來源的。

今天，一切證據都顯示，大陸和海外中國人的民族主義激情是中共當局有計畫地挑撥起來的。在馬列主義的意識形態破產以後，中共再一次企圖利用民族主義來挽救它的信仰危機。更重要的是：面對著海內外中國人對於民主和人權的要求，中共希望假借民族主義來淹沒它。中共導演的民族主義不遲不早地爆發在去年三月台灣民主選舉的時期，絕不是偶然的。無論是大陸上的中國人還是海外華人，民族尊嚴的意識都是根深蒂固的。這個意識很可能成為中國在世界文明史重寫新頁的創造動力。但是如果受到有計畫的撥弄和組織，這種意識一旦轉化為仇外、排外的民族狂熱，像希特勒時代的日耳曼民族優越論或日本軍國主義時代的「大和魂」，它的毀滅力量也是難以估計的。我並不相信中國人真會走上這條險途，因為中國民族的文化性格和日耳曼與日本都不相同。然而歷史上是可以發生意外的，義和團便是慈禧太后為了挽救她個人的統治危機而刻意挑動起來的。

第四，由於今天東、西民族主義的傾向處處相反，我不免發生更深一層的感想，即我們不能用任何單一的概念來解釋整個世界的動態。我們常常聽到「後現代」、「後殖民」、「後工業」等等名詞，好像全世界一切地區都已走上同一歷史階段了。這是非常誤人的思路。其實這些「後」所吸引，其中一個重要原因便是這些「後」理論代表了西方最新的激進思潮，而且其內容基本上是「反西方中心的論述」依然是「西方中心的」。這裡存在著一個有趣的「悖論」：「反西方中心的論述」依然是「西方中心」的文化產品。其實這也不是新現象。十九世紀的馬克思主義便是源出西方而同時又反西方主流的思潮。現在我不打算涉及「後學」的問題。我要檢討的是「後冷戰」這個概念。自從蘇聯崩潰以後，西方學人馬上便宣布：冷戰已終結了，世界已進入「後冷戰」時期。於是他們紛紛起來著書立說，建立新的典範（Paradigm）以解釋今天的世界動向。福山的「歷史的終結」和杭廷頓的「文明的衝突」是其中最受注意的兩個理論。這些新說都有一定的根據，並不可一筆抹殺。但在我看來，這些新說又是西方中心論的論述。他們從「西方中心」看問題，斷定「冷戰」在歐洲已經結束，這是不錯的。那麼亞洲如何呢？亞洲的「冷戰」也結束了嗎？亞洲已沒有「民主」與「極權」的對峙了嗎？稍加反思，誰都會得到恰恰相反的結論。最近美國副總統高爾在視察分隔南北韓的三十八度線的時候，曾在無意之間說過一句話：「冷戰」在朝鮮半島仍然存在。不過他判斷北韓的崩潰將指日可待而已。其實何止朝鮮半島？亞洲的三個共產國家——中國大陸、越南、北韓——至今未變。與五十年代相較，中共和越南只有更強大，而不是已衰弱了。中國的民主發展僅僅在台灣一個地區有了顯著的成就，而隔海的大陸則依然是控制在一個橫暴的極權體制之下。從亞洲人的觀點看，我們有什麼經驗證據可以斷定「冷戰」已結束了呢？誠然，中共的極權體制也發生了不小的變化，市場經濟的出現是最重要的一環。但市場經濟同樣可以為極權體制服務，二戰前的義大利和德國便是顯例。正是為了與市場經濟配合，中共今天才以「猶抱琵琶半遮面」的方式，轉換它的極權體制的精神基礎，從史達林的「社會主義」轉向希特勒的「民族社會主義」（National Socialism）。從極左轉向極右事實上只用跨出極小的一步。今天羅馬尼亞的當權者仍是過去共產黨的老領導，但他們已和二戰前的極右派——「鐵衛」（Iron Gruands）合流了（見Umbcrto Eco，*Murder in Chicago*，刊於《紐約書評》，一九九六年四月十日，頁四至七）。以前南斯拉夫的共產黨人今天不也正在進行著「民族大清洗」的勾當嗎？對於目前中共所發動的民族主義狂熱，我們正應當從這個角度去注意，去分析。「冷戰」在亞洲並未終結，極權主義在新的歷史階段中開始從「極左」移向「極右」了。

一九九七年四月二日

（原載《民族主義與中國前途》，時英出版社，一九九七）

思想交流及其文化後果

——《中國大陸當代文化變遷》引言

作為引言者，感到很慚愧，因為我對十年來域外文化對中國的衝擊和產生的後果並不太清楚。一九七八年，我和一個漢代研究代表團到中國訪問了一個多月，那還是在美國承認中共的前夕，我所見到的是與外部世界隔開的中國，談不上有什麼外來影響。以後，雖然從國內來訪的朋友那裡聽到一些情況，但也是零碎不全的。所以，我對這個研討會的題目本身不能講什麼。經與陳奎德先生商量後定下這個題目，是想建議大家考慮一下思想交流及其文化後果的問題。不限於今天的中國，也包括過去的中國。歷史的回顧可以使我們估計今後中國與西方進行交流時，會發生什麼樣的文化後果，這個問題值得考慮。

我想，中國受外來思想的刺激，最大的無過於佛教了。佛教傳入中國是驚天動地的變化。今天的語言中有許多是來自佛教的，我們用慣了，習而不察。比方說，「方便」一詞就是從佛教來的。佛教傳入中國是很正常的歷史現象。隨著中國與西域交通，佛教思想至遲在西漢晚年就傳到了中國，所以東漢初年中國人就把黃老和浮屠放在一起祭祀了。最初佛教被當作方士的修煉、養氣，和印度的瑜珈一類的東西，並沒有發生思想上的影響。到公元四世紀以後，其影響才顯現出來，這過程是相當長的。唐代的玄奘大師到印度住了十九年，搬回許多經書來，真正從事有系統的翻譯。也有外面來的和尚，如鳩摩羅什，從中亞的龜茲來到中國的西涼，住了多年，懂得了中文，開始翻譯，介紹了許多東西進來。他的中文還可以，但還是需要中國人幫忙。在很長的過程中吸收了很多東西，才發生了很大的影響。宋明理學以及禪宗的發生，都與之有關。

佛教史上有一個重要概念叫做「格義」，意思是把佛教的觀念和中國人原有的觀念（如老莊思想）作一個比附和配合，通過中國的老莊來了解西天梵學的基本教義。這裡面就會有一個曲折，即中國人所了解的已經不是佛教本來的意義了。因為兩個很高度的文化發生接觸時，它不可能是以一張白紙去了解對方，總是經過自己的一套觀念去了解對方，把它儘量容納到自己的系統裡來。一直要到容納不下時，自己系統的框架才會改變。這要經過很長的過程。所以，在某種意義上說，中國人最初了解佛教，是以黃老、老莊去曲解了佛教。但是如果不經過這個曲解的過程，最後的真正了解也不容易發生作用。可是真正了解了以後是不是一定發生作用，那又是另外一個問題了。真正了解佛教的人，玄奘大概可以說是第一位。他在印度住了十九年，和各種外道作過辯論，可見其梵文非常好。他翻譯的東西是最忠實可靠的，比如唯識論的被了解，和他的翻譯介紹關係很大。可是介紹進來以後，發生的作用並不大，在佛教史上的地位是次要的，只有少數專家才懂，一般社會上了解的又是另外一套。由此可見，了解另外一種文化，了解了以後發生什麼作用，是很難預料的事。

佛教中的觀念，凡與中國的傳統觀念相合的，可以比附的，就容易發生作用。反之，就不容易發生作用。大家都知道「目蓮救母」的故事，其實它是把中國的孝的觀念和佛教結合起來了，所以目蓮便在唐代才會那麼有名。另外有些觀念是與中國文化不合的，在引進時就隱蔽了，或刪改了。比如「中陰」說是指人死去以後還沒有轉世再生以前，處於不死不生的階段，到那裡去投胎還不一定。《西遊記》裡的豬八戒死後見到一個美女，很愛她，就衝進去了，結果那個美女其實是一頭母豬。因為根據中陰說，人在那個階段是愛母的，有戀母情結。佛洛依德講伊底帕斯情結（Oedipus complex），伊底帕斯這故事是在印度還是在希臘開始的，我不知道，有待專家研究。因為兩個傳統相同，而亞歷山大東征到過印度，印度的語言也和歐洲有相通之處，因此這兩個觀念之間有聯繫。其實，戀母情結（兒子愛母親）和戀父情結（女兒愛父親）這些觀念早就傳到中國來了。但是沒有人發揮它卻被人刪掉了。比如「蓮花妙尼」的故事，本來祇有中文本，而幾十年前又發現有巴利文本。巴利本是更接近原本的，其中有女兒和父親結婚的情節。這和伊底帕斯的故事在性質上是一樣的。而在中文本中，女兒愛父親的那一段是被刪掉的，沒有翻譯出來。可見中國人翻譯是有選擇的。凡與中國國情非常不合的，就無法留傳下來。如宋《高僧傳》講到唐朝善無畏的故事，其中有一位鎖骨娘娘，是觀音菩薩的化身，她吸引人信佛教的唯一辦法是與人發生性關係，然後引之入佛教。這故事在中國後來也被改編了，變成不是用身體、用性去吸引人信佛教。所以在吸收外來文化時，遇到與本國觀念不合的，有意無意地會刪掉它，或改掉它，不知不覺地使之發生變化。其他也可以此類推。

現代也會有這樣的情況，十九世紀末年，西方思想對中國影響最大的無過於嚴復翻譯的《天演論》。同時代許多人的名字與之有關，比如胡「適之」就是取「物競天擇，適者生存」的意思。其實進化論有兩種，達爾文講的生物進化論，和把它用來解釋社會而形成的社會進化論。社會達爾文主義在各個國家是可以起不同作用的。在英國主要被用來為帝國主義辯護的，帝國主義是適者，落後民族是不適者，因而是應該被侵略的。而在中國，社會達爾文主義則被拿來宣傳改良或革命，即我們如果再不努力自強，中國就完了，被消滅了。其實是聳人聽聞，沒有這回事。不可能有一個國家或幾個國家把另外一個國家完全消滅的。康有為給光緒帝講過《波蘭瓜分記》之類的故事，但波蘭至今還是存在的，儘管經過許多波折，最後還是要獨立的。許多殖民地也是如此。所以有些聳人聽聞的立論，祇是適合自己需要去解釋某些外來的觀念，而外來觀念中與己無關的部分就避而不談了。

最後，想就近十年來大陸接受外來文化的情況談幾點想法。

首先，這十年間是在一種不正常的思想狀態下接受西方文化的。佛教傳入中國是通過商人和僧侶，西方思想在清末民初傳入中國也是通過商人和傳教的（像嚴復那樣到英國去學海軍，而對西方思想發生興趣，是比較例外的情況）。這是一種自然溝通的過程，因為人們可以有時間去作從容的選擇。而且，過去的中國有老莊思想，魏晉時代有儒、道、名學，思想還是比較豐富的，所以可以通過許多觀念去接受佛教。清朝末年比較閉塞，但和外界還是溝通的。清朝當然是有文字獄，但是如果不涉及反滿，問題還不是太大。原有的思想框架還沒有大改變。而一九八〇年代大陸吸收西方思想時，本身的思想是處於一個很不正常的狀態。從一九四九年到一九八〇年這三十年間，思想閉塞，祇有一馬克思主義，還是經過格義的，不是真正的馬克思主義，因為不可能將馬克思主義忠實地搬到另外一種文化中來。其中一個重要原因是翻譯的問題，兩種文字互譯時逃不開份量的問題，比如趙元任先生生給胡適寫信，寫「Dear適之」，這Dear一詞就跟我們說某某「兄」一樣不能作「親愛的」解。又如信之結尾有「Your obedient servant」一句，這在中文裡就是「弟」的意思，如果譯成「您的忠實僕人」，份量就不對了，所以現在有些哲學家，如Quine就提出一種理論，叫做Indeterminacy of Translation，照他的推論，翻譯是永遠不可能傳達出原文的所有意思的，祇能表示一個大概。三十年間在大陸的教育裡沒有其他的思想，祇有變形的馬克思主義。到了一九七八年，忽然之間水閘開放，各家思想都進去了。因為來不及選擇，抓到什麼就是什麼，確實也造成了思想上的混亂。十年之中，把西方二千年的思想史都走馬看花過了一遍，大概一個月就要變化一次，當時是在這樣一種狀態下接受西方思想的。

其次，這十年之間接受了西方思想恐怕也來不及消化，常常是適應現實要求各取所需。當然，這也不是中國特有的現象。比如十八世紀啟蒙運動時期，西方通過傳教士接受中國思想，也是如此。伏爾泰（Voltaire）把中國看成世界上最有文化的一個社會，中國的政治是所謂的開明專制。但是，現在研究啟蒙運動的專家，如耶魯大學的Peter Gay等就提出，這是借了棍子來打自己文化中的缺點。如西方對毛澤東時代的歌頌，或是一九三〇年代對蘇聯「新文明」的歌頌，也都是對自己的文化不滿意，借別人的東西來打。而中國接受西方思想，可能也有這樣的情況。

第三、這十年來談不上思想交流，因為你自己沒有東西，實際上就成為片面的吸收。雖然有變形的馬克思主義，但是別人不會到中國去搬馬克思主義。多年來，我看不到中國的思想在外面起什麼影響，唯一可以看到的是毛語錄對西方學生有過一點影響。但是，這本身是變形的馬克思主義，而又傳回到西方，可以說是「出口轉內銷」（就中國的角度說則是「入口回轉外銷」），沒有多大的意義。

我想就提出以上三點歷史的觀察，作為我的引言。

（原載《中國大陸當代文化變遷》，桂冠圖書，一九九一）

一部中國人的必讀書——《魏京生獄中書信集》序

這部《魏京生獄中書信集》的中文版是每一個中國人——華人——都應該一讀的作品。相對於魏京生而言，今天的中國人大概可以分作三大類。第一類是同情他的遭遇並且在不同程度上支持他的理念者。這一類的中國人本來便不甚多，屬於湯恩比（Arnold Toynbee）所謂「創造的少數」，眼前則似乎越來越少。這一類的人讀此書可以保持自己的「良心」的清明，因為魏京生是所謂「良心犯」，他是代所有同具此「良心」的中國人入獄的。當然，並不是一切有此「良心」的中國人都有入獄的幸運。但逍遙在獄牆之外的中國「良心」究竟應該在各自的生活和工作崗位上做點什麼，以安頓自己？讀了這本書也許可以更深刻地想想這個問題。

第二類人是反對魏京生的，因為他們的既得利益是和大陸的現狀緊密地連在一起的。站在個人的立場上，他們更感覺自己機智非凡，確是識時務的俊傑，而魏京生則愚不可及，竟敢以卵擊石，落得長期身陷囹圄的下場。這一類的人為什麼應該讀《魏京生獄中書信集》呢？因為人生的「苦」與「樂」是相倚而立的，沒有「苦」的對比，「樂」的實感也無從產生，至少不能充分地呈現。現在他們有機會讀到魏京生在牢獄中所受到的種種苦況，才能徹底地體會到自己的歡樂。這一類的中國人今天正在迅速增加，估計他們必將成為本書的廣大讀者。

第三類人則是從來不問世事的，他們也許根本不知道世界上還有一個叫作魏京生的人。這一類在中國人之中為數最多，要想爭取他們成為本書的讀者大概是很困難的。但是我卻願意鄭重向這一類人推薦：你們才是最應該讀這本書的人。「各人自掃門前雪，莫管他人瓦上霜」——這是在中國人之間最常見的一種處世態度。但正是這一冷漠的態度縱容了惡勢力的成長和橫行，使中國的現代化不斷地受到挫折。捷克總統哈維爾（Vāclav Havel）也是從共產黨監獄中出身的人。他最近出版了一部演講集，題名《不可能的藝術》（*The Art of the Impossible*, 1997），包括從一九九〇年到一九九六年之間的三十五篇講詞。他現身說法，告訴我們「漠不關心」（indifference）怎樣造成了對歐洲，特別是捷克，絕大多數人民的傷害。納粹和共產主義之所以能夠蹂躪歐洲先後達六十年之久，正是因為歐洲各國，上自政客，下至一般個人都接受了「事不關己，不聞不問」的原則。慕尼黑協定不過是其間最有代表性的一個例子而已。

在共產黨統治期間的捷克哈維爾也和今天中國的魏京生一樣，是一個所謂「異議者」，走在街上熟人都避之唯恐不及。據他自己的分析，熟人躲開他大概有兩種理由：第一種是把他看作他們自己的「良心的聲音」，但卻又不能公開站出來支援他。如果見了面，他們也許會感到有向他道歉的必要，並說明他們為什麼不能反抗暴政的種種苦衷。其中有些人甚至認為在共產黨統治下而持「異議」，無異「以卵擊石」，絕不會有什麼結果。這樣的談話對於雙方都很尷尬，不如乾脆避不見面的妙。第二種理由則出於一種怕惹事的心理。哈維爾是當時秘密警察跟蹤的對象，在街上和他談話不免將引起注意，可怕的後果是不難想像的。基於他的親身經歷，哈維爾最後總結道：「在今天的世界，每一件事都關係到每一個人。在過去，共產體制也關係到每一個人。」（見原書頁一一三）換句話說，在現代世界，事與事之間、人與人之間，以及人與事之間，處處都是互相關係的；我們已不容易分清「自己門前雪」和「他人瓦上霜」之間的界線了。對於魏京生的「異議」，無論是同情還是反對，凡是中國人至少都應該有所認識。完全置身事外是不可能的，鴕鳥政策並不能使魏京生「異議」這一具有重大象徵和實質意義的大事從中國的現實中消失，何況這件大事在全世界已引起了人們愈來愈深切的關懷。所以我特別提議：從來不關心此事的中國人尤其應該一讀《魏京生獄中書信集》。

這本書的英文本今年已在美國出版，劉賓雁先生在《紐約書評》（*The New York Review of Books*）上寫了一篇簡要的評介文字。（原書的英文名稱是*The Courage to Stand Alone*, *Viking*, 1997；書評刊於一九九七年七月十七日的《紐約書評》上。）它將引起西方世界的普遍重視是可以預見的。我稍稍比較了一下中英文的兩種版本，英文本由於翻譯上技術處理的需要，不得不略有刪節，但大體上則是完全忠實於原著的。據我的判斷，這部中文本大概是魏京生的原文，因此讀來特別親切有味。

王國維在《人間詞話》中曾引尼采的一句話：「一切文學余愛以血書者。」這部《魏京生獄中書信集》真正是「以血書者」，我願意鄭重介紹它給每一位中國的讀者。

（原載《魏京生獄中書信集》，時報文化，一九九七）

《中共風雨八十年》序

林保華（凌鋒）先生自從一九七六年到香港之後，二十多年中寫了大量評論中共政權和回憶他在大陸二十一年（一九五五—七六）生活的文字。他的評論因為有親歷經驗作根據，無不入木三分；他的回憶，由於是痛定思痛的結晶，篇篇都有血有淚。我從歷史研究者的角度讀這些文字，第一個感想是：這正是最有價值的第一手史料。中國史學上將史料大略分成兩類：第一類是外在事象所遺存的痕跡，不妨稱之為「跡史」；第二類則是每一時代人的內心掙扎所留下來的聲音，用宋末遺民鄭所南的名詞表達之，則可稱之為「心史」。杜甫之所以被後世尊之為「詩史」，便是因為他的詩傳達了安史之亂的唐人心聲，元末杜本輯宋末人的詩為《谷音集》，也是此物此志。保華所挑選的二十萬字，恰好兼收了「跡史」與「心史」，其價值將隨著時代的推移而越來越顯現。記此五十年「心」、「跡」的文字自然不限於保華一人，他日史家博考眾說，便能重建這一段「劫盡變窮」的信史。蘇聯極權帝國崩解之後，官方的檔案已大批公之於世，歷史真相也逐漸呈現於讀者眼前。列寧殘殺「富農」的手令今已發現，共產黨第一代首領的凶暴便再也無法掩藏了。

中共內部檔案必將步蘇聯後塵，一一成為歷史家研究的對象，只不過是時間問題，而且為期已不在遠。蘇聯政權存在了七十多年而終於自我結束，這是一個最可靠的「前車之鑑」，也為我們提示了一個時間表。等到官方檔案出現之後，保華和其他同時代人所保存的「心跡」便更能發揮出史料價值了。

中共即將大舉慶祝「建黨八十年」，展開自吹自擂的宣傳攻勢。心懷不忿，深恐世人為其所愚，竟慨然自費出版這部文集，他的救世精神是特別值得我們尊敬的。我十分贊成他出版這部「心史」與「跡史」，但是我要勸他保持內心的寧靜，不必為表面的紛擾所激動。林肯說得最好：「你可以欺騙所有的人於一時，但是絕不可能欺騙所有的人於永久。」中國是世界上唯一持續了幾千年不斷的古老文明。

這個古老文明中確實包涵了許多沉渣積澱，必須經過長期清洗才能重新獲得生機。五十年來，這一切沉渣積澱都已浮現在水面了，其實這正是「貞下起元」之象，我們對於中國文明新生的遠景只應該越來越樂觀，不應該悲觀。中國今天才真正處於「多難興邦」的前夕，重回文明正流的日子已是可望而又可即了。《西遊記》中唐僧一人取經還要忍受八十一難，何況是十二、三億人的大群體要徹底調整生活方式呢？

「沉舟側畔千帆過，枯樹前頭萬木春。」劉禹錫流傳千載的名句值得保華反覆吟味的。

二十一世紀元年五月十二日

（原載《中共風雨八十年》，The Epoch Publishing Corp，二〇〇一）

中國徵文史上的空前豐收
——《紅朝謊言錄》序

《大紀元時報》和博大出版社發起「紅朝謊言錄」的全球有獎徵文，響應熱烈，收到世界各地作者的佳作至數百篇之多。由於美不勝收之故，評審委員會不得不在一等、二等、三等獎之外，增設二十三名榮譽獎。現在呈現在讀者眼前的這部《紅朝謊言錄》，因限於篇幅，僅僅集結了一、二、三等獎和部分榮譽獎的論文。

僅從本書所選收的幾十篇論文來說，題目五花八門、大大小小、窮盡了人生百態：有說個人因信仰而在勞教所受迫害的經歷（一等一名趙明）；有講「三年自然災害」的（二等周湘靈）；有回憶韓戰的（二等今鐘）；有記二、三十年代「中華蘇維埃共和國」的（三等方強）；有揭發「愛滋黑幕」的（三等田園）；有講「醫療系統現狀」的（榮譽獎德鴻）；有描寫「一人說謊、全省遭殃」的（榮譽獎甘為民）；有陳述「九八年長江抗洪」的（榮譽獎王維洛）、有論「說謊政治」與「SARS中國」的（榮譽獎樊百華）；也有揭示劉少奇結局真相的（榮譽獎肖進和張育明），真是細大不捐、應有盡有。

據我所知，當時各評審委員，為了選出得獎論文，曾傷透了腦筋，因為這幾百篇作品，篇篇精采，實在難分優劣、更難割愛。這在中國徵文史上可以算是非常少見的現象。

為什麼這次徵文竟能獲得這樣空前的豐收呢？應徵的作者普遍具有很高的文學才能當然是一個重要的原因。但是我相信另一個原因則更值得重視，即徵文的題目——「紅朝謊言」——包含了太豐富的內容，使每一位作者都能有充分發揮創造力與想像力的餘地。我們都知道，而且這部《紅朝謊言錄》也生動地顯示了出來：「紅朝」體系徹頭徹尾是由謊言編造出來的世界。生活在「紅朝」統治下的人，耳濡目染，無一不是謊言。因此，以「謊言」為題材，對他們而言，可以說是俯拾即是。這樣看來，這次徵文成績特別優異便絲毫不足驚詫了。

政治謊言與統治集團在歷史上同時出現，其源甚古；而且在現代民主體制下，政黨在爭取或維護政權時也往往訴諸謊言。但是這種一般性的政治謊言，由於人民已習以為常，因此不但收效甚微，而且不斷被批評者一一揭穿。「紅朝」的「謊言」則完全不同，它是二十世紀極權統治的一個組成部分，曾發揮過極大的威力。極權統治下的謊言是有系統、有組織而且精心設計出來的。無論是左翼的列寧、史達林式的極權黨，或是右翼法西斯、納粹式的極權黨，都首先設立一個所謂「宣傳部」，向整個社會進行有計畫、有步驟的傳播謊言。極權黨先用謊言奪權，然後用謊言保權。

希特勒的宣傳大員戈培爾（Paul Joseph Goebbels, 1897-1945）說得最露骨：「謊話說一千遍，便成為真理。」」英國作家奧威爾（George Orwell）的《一九八四》便是刻畫極權統治的一部名著。在這本小說裡，「宣傳部」的名稱是「真理部」，此真理二字，恰恰和前蘇聯的《真理報》一模一樣，其實是「謊言」的代名詞。以暴力為後盾，「真理部」向所有人民宣傳極權黨編造的謊言。並且強迫他們非承認「謊言」為「真理」不可。說到這裡，我們便可以看到：極權統治下的謊言絕不能和一般「信不信由你」的謊言等量齊觀；它不只是「言」而且是「行」，只要你對於謊言稍稍露出一點抗拒的意思，無盡無休的災難便在等待著你。

今天（二〇〇四年五月十四日）《紐約時報》報導，「紅朝」又用「謊言」判處了爭取民主自由的楊建利五年監禁。因此我願意借他的話來結束這篇短短的序文。我的朋友林培瑞（Perry Link）為《楊建利文集》作序，引了它下面一段文字：

> 形象地說，共產黨的統治是一張三條腿的桌子，一條是暴力，一條是謊言，另一條是以提供腐敗的便利而換取的大大小小的官員和某些商人和知識分子的效忠。………這三條腿只要有一條斷了，共產黨的統治就垮了。

楊建利所描寫的是今天腐敗已公開化的「紅朝」。原來的「紅朝」其實只有兩條腿：暴力與謊言。一九七六年十月以後，特別是一九八九年六月以後，「紅朝」

的「謊言」之腿已經斷了，這才出現了以赤裸裸的物質利益換取「效忠」的第三條腿——它取代了「謊言」的位置，維持著「紅朝」之搖搖欲墜的存在。這種「效忠」不僅在國內氾濫，而且也不斷在海外華人地區散布了開來。今天的問題正是在於這些海外的「效忠者」代「真理部」編造出一套又一套的新謊言，隨著經濟市場的擴大而擴大。這樣發展下去，詩人元好問「誰謂神州遂陸沉」的感慨，難免不重現於二十一世紀！

但是我始終相信林肯的名言：「你也許能長期欺騙一部分人，你也許能欺騙所有的人於一時，但你終不能永久欺騙所有的人！」這部《紅朝謊言錄》便是最生動、最有力的見證。

二〇〇四年五月十四日　序於普林斯頓

（原載《紅潮謊言錄》，博大出版社，二〇〇四）

中國人苦難的根源

——《五十個人的五十年》序

今年是中國民主教育基金會創建的二十周年，為了紀念這個特殊的一年，基金會編印了這部文集。誠如編者在〈編後記〉中所說的，「本文集中的每篇文章，都是受難者的心靈記錄，刻骨銘心。每篇文章，都呼喚著人性的覺醒。」

五十七年前，中國被人類歷史上最殘酷的史達林體制徹底地征服了，從此中國人便在「革命」的暴力蹂躪之下宛轉呻吟。在最初二十七年中，毛澤東個人的殘暴統治使幾千萬中國人死於非命，其方式千奇百怪，莫可名狀。毛死後，中共政權進入一新的階段，打出了所謂「改革開放」的旗幟，曾一度予世人以迫切的期待，似乎河清可俟，但一九八九年六月四日的北京天安門的屠殺終於打破了一切的幻想：「黨天下」浴火重新，通過嶄新的形態，把「專政」「堅持」到底。現在塵埃大致落定，我們清楚地看到了「在少數人先富起來」的路線之下，畸形的市場經濟已成為史達林體制的最有力的援軍。「大資產階級專政」之「實」和「無產階級專政」之「名」居然完成了矛盾的統一。這是黑格爾、馬克思所無法想像的。

矛盾的統一雖然可以在語言層面進行，但在現實世界上，矛盾則往往趨向分裂，而不是「統一」。今天「先富起來」的「少數人」已成為「黨」的「先進代表」，他們的集體利益和掙扎在生存線上的「大多數人」越來越尖銳對立，包括農民、下崗工人、大城市中的流動民工等等。因此民間抗爭事件，大大小小的層出不窮。據《紐約時報》的報導：僅僅二〇〇五年一年的抗爭事件便不下七、八萬起之多，而且是官方的統計數字。同年年底，廣東武警在汕尾槍殺村民的慘劇更震驚了全世界，西方媒體甚至比之於「六四」微型版。不用說，每一次抗爭都是在軍警血腥鎮壓下結束的。所以僅僅就民間抗爭這一方面而說，歷年來遭受殘酷鎮壓的人數便已大得驚人。至於為「堅持專政」而對於其他群體和個人所進行的種種不同的迫害，其總數則更是無從估計。總之在毛死後的三十年，史達林體制繼續在發揮威力，至今仍沒有放鬆的跡象。

上面的簡略回顧是為了給這部文集提供一個主要的歷史背景，使讀者知道半個多世紀來，中國人苦難的根源究竟何在？文集所收的每一篇文字都是以血和淚寫成的，都是受難者親歷或親見的個人的悲慘遭遇；合起來看，全部文集則是一幅驚心動魄的「地獄變相圖」。然而這確是最真實、最具體的歷史紀錄，它將為未來的史家所取材。

歷史最重要的功能之一是保存記憶，這是今天史學界的共識，但中國人早已有此認識。所以「以古為鑑」或「前事不忘，後事之師」等等觀念，自古迄今流行不衰。古人又說：「國可亡，史不可亡。」這也是極端重視集體記憶的明確表示。只要有記憶，國亡仍可再興，也可以走出黑暗重見光明。孫中山之所以能號召志士，推翻滿清的「一族專政」，創建共和國，便得力於兩百多年前遺民所保存的大量記憶。「揚州十日」、「嘉定三屠」之類的作品是清末最流行的地下讀物。五十七年前中國為史達林體制所征服，不但背叛了中國文明而且也脫出了世界文明的主流。

但是中國民間已出現一股巨大的精神力量，強烈要求回向文明的正流。這部文集中所保存的記憶必將加速中國人向文明回歸的進程，這是可以斷言的。

（原載《五十個人的五十年》，田園書屋，二〇〇六）

《追尋自由：劉曉波文選》序

去年（二〇〇九）劉曉波失去自由以後，劉霞曾委託余杰為他策劃和編輯了一部文集《大國沉淪——寫給中國的備忘錄》（台北：允晨文化，二〇〇九年十月）我當時應邀寫了幾句推薦的話，原文如下：

二十年來劉曉波不斷發出獅子吼，都是為了拯救一個一天天沉淪下去的大國，希望他有一天會回到文明的正流。本書所收五十篇文章是他在再度入獄前寫成，包括兩個方面：正面是伸張自由、民主、人權、和平等等普世價值，反面則是揭示「以沉淪當崛起」的種種醜惡面相。這是一位可敬的公共知識人的稀世之音，值得每一位讀者細心傾聽！

一年後的今天，我覺得這一概括也完全適用於《追尋自由：劉曉波文選》，但這部《文選》收入了劉曉波歷年來在《觀察》上首發的二百六十八篇文章中的近百篇，比《大國沉淪》的篇幅超出一倍，因此涉及問題的範圍也廣闊得多，從這許多論題及其高度批判性的討論來看，我們得到一個非常清楚的印象：曉波隨時隨地都在注視著與中國命運密切相關的種種動態，細大不捐。他不但注視而且詳盡地占有與論題有關的資料，再繼之以深思；否則他的分析和評論不可能篇篇都那樣透闢而中肯。曉波在他的文字中不但充分發揮了現代公共知識人的精神，而且也繼承了中國「士」的可貴傳統，即「國事、天下事，事事關心」。曉波的關懷雖投射到中國社會、政治、經濟、文化的方方面面，但其中心所在則可一言以蔽之，曰：基本人權在中國的現實。這正是曉波榮獲諾貝爾和平獎的主要理由。

今年十月八日，挪威諾貝爾委員會在〈和平獎公告〉中，開章明義便指出：「和平獎授予劉曉波是為表彰他為中國基本人權所做的長期非暴力抗爭」，〈公告〉最後說：

過去二十多年，劉曉波已經成為爭取在中國實現這些基本人權的強有力發言人。他參與了一九八九年的天安門抗議，他是零八憲章的一位主要起草者，這個權力宣言發表於〈聯合國世界人權宣言〉六十週年的二〇〇八年十二月十日。次年，劉曉波以「煽動顛覆國家政權罪」被判處有期徒刑十一年並剝奪政治權利兩年。劉曉波一直堅持這個判刑違反中國自己的憲法和基本人權。

在國內外的許多中國人正發動在中國建立普世人權的運動，劉曉波通過被判入獄的嚴厲懲罰已經成為這個在中國爭取人權的廣泛鬥爭的最重要標誌。（獨立中文筆會譯，引自《開放雜誌》二〇一〇年十一月號，頁十六）

這一段文字把曉波為什麼得獎的前因後果交代得十分明白，細心的讀者必能理解今年的和平獎何以必須給曉波而不是別人。正如〈公告〉所言，「諾貝爾獎委員會長期以來認為，人權與和平密切關聯」，而同時，這個委員會又有一個堅定的共識，認定一九八九年的「天安門抗議」是中國人權運動的一個最重要的里程碑，二十多年來一直處於「野火燒不盡，春風吹又生」的狀態。最近一次波瀾壯闊的表現則是「零八憲章」簽名支持者最後已超過萬人，若不是橫遭禁壓，人數還會大幅上升。在這二十多年持續不斷的人權運動中，曉波在每一階段都是參與者和推動者。因此〈公告〉說他是整個運動的「強有力發言人」和「最重要的標誌」。這樣看來，今年的和平獎雖然名義上頒給曉波個人，實際上則是通過曉波而將這一最高榮譽贈與二十多年來所有為中國人權運動作出重大犧牲的人們，包括最寶貴的生命在內。曉波也正是如此來理解這頂桂冠的意義的，他當下的反應是：這個獎屬於「六四亡靈」。

自一九八九以來，每年諾貝爾和平獎中都有中國候選人，而且往往不只一位，他們都是為中國人權運動而獻身的豪傑之士。其中任何一位當選都同樣會收到「天與人歸」的效果，然而一次又一次，我們都以失望告終。所以今年曉波獲獎確是一次「破天荒」之舉，在一個最關鍵的時刻為中國人權運動注入一股最強大的新生力量。

為什麼不遲不早而是今年？為什麼不是別人而是曉波？上引諾貝爾委員會在〈公告〉中已提出了清楚的答案：「零八憲章」早已受到整個自由世界的深切關

注，而曉波竟為此被判入獄十一年則超過了人類良知所能容忍的極限。委員會諸公在如此巨大的道德壓力下，除了頒獎給曉波之外，已別無選擇的餘地。佛家有一句名言：「道假眾緣，復須時熟。」（慧皎，《高僧傳》卷一，〈曇摩耶舍傳〉）「眾緣」齊備了，時機也成熟了，曉波獲獎不但是理有固然，而且也是事有必至。

曉波獲獎必將對中國人權運動發生長遠而深刻的影響，這是不在話下的。這一個多月來，我已讀到了不少中外的評論文字，都對曉波有極高的期待。所以，關於這一方面，我便不再詞費了。最後我要特別指出的是：這一驚天動地的大事件已開始發揮絕大的威力，正在推動著歷史的進程。

自從十月八日諾貝爾和平獎公布以後，中共一系列的國際表演使全世界為之震驚，真是見所未見，聞所未聞。中共的本相我們雖然早已知道得一清二楚，但過去在國際場合它多少還裝出一點「猶抱琵琶半遮面」的樣子。這次也許是過於驚慌與失措，氣極敗壞之故，它竟徹底露出了原形，一絲一毫都沒有保留了。我實在不忍對中共這些行為加以描述，因為我不願相信一個有五千年文明的「大國」現在卻「沉淪」到如此的地步。為了呈現基本事實，我最後決定將《紐約時報》十一月二十日「社論」的前半段譯介出來，以代替我自己的敘事文字。這並不是完全由於我怕自己下筆時控制不住內心的悲憤，而是因為這篇「社論」不但代表了整個自由世界的正義呼喚，而且出之以冷靜而客觀的筆法。「社論」的題目是〈向劉曉波致敬〉（Honoring Liu Xiaobo），其前半段是這樣寫的：

中國的專制者已使盡了一切可以想得到的辦法試著阻止全世界向劉曉波——這位被囚禁的民主活動家——的勇氣致賀。他們起先是威脅諾貝爾委員會，不要將今年的諾貝爾和平獎頒給劉曉波。等到委員會照自己的決定進行以後，中國便將劉曉波的妻子軟禁在家，阻止其他的人參加典禮，並且警告各國政府不得前往。

挪威諾貝爾委員會作出了正確的決定，頒獎典禮仍將在十二月十日舉行。依照規章，獎金必須發給得獎人或其家庭成員。所以，委員會將延緩授予獎章和一百五十萬美元獎金，但是將在典禮儀式中朗誦劉曉波的作品。

和平獎過去曾三次頒給在囚禁中的人權和民主活動家——俄國物理學家沙哈羅夫、緬甸反對黨領袖昂山素姬，和波蘭工會領袖瓦文薩。他們都是由家人代為領獎的。

最後一次獲獎人和家人都不能去奧斯陸的事則發生在一九三六年，當時德國獻身和平運動的新聞工作者奧西茨基（Carl von Ossietzky）不准離開納粹德國。這一歷史比較會令人渾身發冷，並且應該使北京感到羞恥。

「社論」言簡意賅，把中共今天的國際形象恰如其分地刻畫了出來。最諷刺的是我們一向鄙視的緬甸軍政府在曉波得獎後不久已恢復了昂山素姬的自由，相形之下，中共政治局的判斷力和膽識還遠遠落在它之後。

中共為什麼這樣害怕曉波的諾貝爾和平獎，以致必須用舉國之力在國內和國外全面封殺今年奧斯陸的頒獎典禮？答案便在這部《追尋自由：劉曉波文選》之中。

余英時序於普林斯頓

二〇一〇年十一月感恩節

（原載《追尋自由：劉曉波文選》，勞改基金會，二〇一一）

《我無罪：劉曉波傳》序

余杰寫劉曉波的傳記，真可以說是天作之合：一方面劉曉波不可能找到比余杰更出色當行的作傳人；另一方面，余杰也不可能找到比劉曉波更能使他全心投入的寫傳對象。關於這一點，後文還會作進一層的解釋，暫止於此。現在讓我對這部傳記作一高度概括性的介紹，以為讀者理解之一助。

第一，本書並非孤立地呈現劉曉波個人的生活和思想，而是將它置於整個歷史變動的大脈絡之中。正因為如此，他的精神成長和發展才段落分明地展示了出來。從十一歲到二十一歲（一九六六至一九七六年）是他在精神上啟蒙和奠基的階段，但恰好處於「文革」時期。「文革」雖是中國人的普遍災難，卻意外成為劉曉波的一種福祉，使他在一段時間之內自由自在，不受任何精神上的束縛。這一點點自由的幼苗不斷在他心靈中茁壯，終於成為今天我們所認識的劉曉波。難怪他後來要說：「我非常感謝『文化大革命』。」

從一九七七到一九八九年則是劉曉波生命史上第二個重要階段。在這一階段中，他一方面完成了中國文學的專業研究，取得了博士學位（一九八八年），另一方面他的自由精神已沛然莫之能禦，自八〇年代初開始，便衝出了文學專業的領域，而馳騁在思想和文化這一更廣闊的世界中。但是我們同時也必須記住：這一段時期，由於胡耀邦、趙紫陽兩人主持黨和政，思想、文化界出現了一個短暫的相對寬鬆的局面。本書在敘事過程中便隱隱約約地將這一獨特的歷史背景透露了出來。例如提到劉曉波在一九八八年應邀赴挪威講學，作者寫道：

> 那時「反自由化」運動經趙紫陽的抵制逐漸淡化，北師大的「小氣候」相對寬鬆，他得以順利出國講學。

從一九八九年天安門運動到二〇一〇年獲得諾貝爾和平獎則是曉波生命史上的第三階段，本書敘事主要聚焦於此。全書共八章，自第三章以下都是屬於第三階段，因此記錄十分詳盡。在這六章的長篇敘述中，曉波這個人在這二十年中的一切遭遇更是和歷史脈絡緊密相連的。所以近二十年來中國的政治、社會動態也隨著曉波的一言一行清晰地呈現了出來。自一九八九年以來，由於東歐和前蘇聯先後發生了驚天動地的變化，「亡黨」的恐懼成為中共一黨專政的主旋律。我們只要稍稍回顧一下中共在過去二十年中怎樣時輕時重地懲罰曉波，這一點便顯露無遺了。無論是短期監禁、在家軟禁、或「勞動教養」，都和他的言行對於政權所構成的威脅一一相應。換句話說，對政權的威脅越大，懲罰也越重。毫無疑問，曉波在二〇〇八年底所推出的《零八憲章》構成了對「一黨專政」的最大威脅，因為這可以引發稍後在中東進行得如火如荼的「茉莉花革命」。明乎此，則曉波為什麼在《憲章》發表前夕（二〇〇八年十二月八日）被祕密拘禁，並在一年之後（二〇〇九年十二月二十六日）以「煽動顛覆國家政權罪」判刑十一年，便完全可以理解了。

第二，本書記述曉波的思想和價值觀念，相當詳盡，我們稍加推導，便能看到他的心靈發展的整體過程。這是本書一個很重要的貢獻。前面提到曉波精神進程的三個階段，現在我要進一步指出：這三個階段是一種內在理路的展開，由低而高，逐層拓廣。他在第一階段所獲得高度自由為他在第二、第三階段的思想發展提供了基本動力。徐友漁曾以「思想徹底」作為曉波的主要「特徵」，我完全同意。但是我要下一轉語，這一特色正是他的自由精神的呈露。他的少年和青年時期是在「停課鬧革命」、「上山下鄉」中度過的，所以他沒有受到長期而有系統的意識形態的束縛，而且很早便形成了向權威挑戰的心態。此外他和同時代少年一輩相比，還有一個很獨特的人生經驗，即一九六九至一九七三這幾年，他隨父親到內蒙古科爾沁右翼前旗插隊。在這個草原、荒漠與森林的廣闊邊境，他可能有機會和當地農民、牧民摔跤、喝酒，打成一片。也許由於這一背景，他的思想和寫作之中往往貫注著一股浪漫奔放的精神，和他所體現與嚮往的自由相得益彰。自由加上浪漫奔放便造成了曉波的「思想徹底」。

曉波思想的「徹底性」表現在很多方面，這裡姑且舉一二事例為證。首先，從消極方面說，他對於共產黨的否定是徹底的，從意識形態到統治都持完全反對的態度。以意識形態而論，他對八〇年代具有廣泛影響的思想啟蒙者提出鋒銳的批判，並不是抹煞他們的重大貢獻，而是因為他們在思想突破方面不夠徹底，「本身還拖著一條長長的舊意識形態的尾巴」。再就現實政治來說，一九八八年他在香港便公開發表了〈混世魔王毛澤東〉的評論，這更是徹底拒斥中共政權的一種明確表示。

其次，再從積極方面看，曉波對於普世價值的追求也同樣地勇往直前，百折不撓。前面曾指出，曉波在思想成長最初階段已完全認同自由的價值。但在第二、第三兩個階段中，他則不斷地致力於自由的深化和擴張。從他最早（一九八四年）發表的〈論藝術直覺〉和〈論莊子〉兩文來看，他是在文學和藝術的領域中尋求自由。這正是為什麼他特別注意到莊子的緣由。因為，一方面，《莊子》這部書恰好體現了最純淨的自由精神。自嚴復至蕭公權，凡是深入西方思想的現代學人，都對《莊子》有這樣的理解，如〈逍遙遊〉可以看作是自由的至境，而〈在宥〉則是「最徹底之自由思想」。另一方面，如所周知，《莊子》也是中國藝術精神的一個最重要的源頭。但是曉波很快地便將自由推向文化和思想的廣大世界，一九八六年轟動一時的〈危機！新時期文學面臨危機〉即其明證。不但如此，他在字面上斥責的雖是中國傳統文化和專制制度，但事實上卻「項莊舞劍，意在沛公」，劍鋒遙指「黨天下」的統治。這可以說，在擴充的過程中已將自由深化了。

一九八八年曉波完成了博士論文的撰寫，這也是對自由進行深化的一大努力。

他的論文題目是《審美與人的自由》，其中一個核心觀點便是「因審美得自由」。當時美學討論很熱烈，而康德（Immanuel Kant）的哲學也相當流行；在這一時代背景之下，曉波所選擇的論題可以說是順理成章的。但是他特別強調「美」與「自由」之間的關係，顯然由於受到了康德的啟發。康德在他的第三《批判》（*The Critique of Judgment*，中譯《判斷力批判》）中對這一問題有深入的論斷：我們對於純粹的「美」的判斷必須超出一切利害（disinterested）之上，也不能在「美」的物件（如自然界的花）之外，賦予它以任何外在的目的。康德稱這樣一種精神狀態是「自由的」（free）。換句話說，人只有處在這樣一種「自由」狀態之下才能成就美感的判斷。（他稱此為「自由的美」，free beauty）。這裡毋須追究曉波和康德之間的異同，但曉波論文的主旨是要使我們對於自由的理解深入到哲學的層次，則是十分明顯的。所以，《審美與人的自由》這部專論必須看作是曉波在深化自由方面所取得的重大成績。但曉波關於自由的最後、同時也是最圓熟的理解，則見於《零八憲章》。《憲章》第二節〈我們的基本理念〉劈頭便說：

自由：自由是普世價值的核心之所在。言論、出版、信仰、集會、結社、遷徙、罷工和遊行示威等權利都是自由的具體體現。自由不昌，則無現代文明可言。

《憲章》當然代表著所有起草人和簽署人的共同理念，並不是曉波一人之見。然而，由於曉波是兩位主要起草人之一，我深信「自由是普世價值的核心之所在」這一特別提法也同時折射出他個人長期探索自由真諦的終極體悟。

最後，我要指出本書的第三個特色：曉波的精神品格的成長歷程在敘事中逐步呈現了出來。余杰寫的是一個有血有肉的真實的人，而不是什麼「橫空出世」的「天縱之聖」。因此他並不諱言曉波早年所遭受的種種批評，如廖亦武說他「好鬥」、「霸道」等等。而且余杰也指出：「年輕的劉曉波有著強烈的表現欲望，也知道如何製造話題，吸引人們的眼光。」但是通讀全書，最使我感動的則是曉波的精神境界隨著他的苦難經歷而一層一層地向上攀升。一九八九年「六四」前夕他從美國趕回天安門廣場是這一精神旅程的始點。從「六二絕食」到說服戒嚴部隊讓幾千學生從廣場撤離，曉波的心態顯然已從早年的激進轉向和平漸進。這當然是一次精神的大提升。此下一再入獄和出獄後的監視、軟禁、傳喚、暴力毆打、「勞動教養」……種種數不清的迫害都只能使他的精神境界越來越高。所以二〇〇九年十二月，他在法庭上最後陳述道：

我堅守著二十年前我在〈「六二」絕食宣言〉中所表達的信念——我沒有敵人，也沒有仇恨。

這是印度甘地最後所達到的精神境界，不經過千錘百鍊，是不可能「堅守」下來的。中國人的精神修練自來有兩條途徑：一條是「靜坐涵養」（如二程、朱熹），另一條是「事上磨練」（王陽明），曉波的精神旅程是循著「事上磨練」的方式完成的。這一旅程在本書中有極其生動的記述，讀者必須熟讀深思而自得之。

這裡我願意用我和曉波的兩次短暫的直接接觸，為他精神升進的實況作見證。我第一次和曉波會面是在一九八九年四月十五日；當時有一場討論中國大陸情勢的聚會在紐約舉行，來自大陸的與會者包括劉賓雁、王若水、阮銘等人，曉波也在應邀之列，因為他恰好在哥倫比亞大學訪問。我至今還清楚地記得他和我的談話。我事先已聽說他是大陸文壇最具反叛性的青年作家，因此我問他是否已習慣於美國的學院生活？紐約和北京對比在他心理上引起了怎樣的反應？他相當激動地說，他完全不能適應紐約生活的孤寂和淡而無味。他告訴我：他在北京差不多天天都有講演，聽眾不計其數。每次講完，必得到無數的「鮮花」和震天的「掌聲」。「鮮花」和「掌聲」是他的原話，他一再強調，因此牢牢地留在我的記憶中。但那一天（四月十五日）恰好聽到胡耀邦的死訊和北京大批學生遊行悼念的報導，與會者的注意力完全被這一新聞所轉移，我和曉波的對話也就此中斷了。我當時雖然很欣賞他的坦率，但終覺得他過於受當時大陸上浮躁風氣的感染，虛榮心未免稍重。但不久之後聽說他毅然不顧個人安危，回到北京，積極參加了天安門的民主運動，我對他的印象立即發生了很大的改變。但遺憾的是，此後我一直沒有和他再見面的機會。

我第二次和他接觸是通過長途電話，事在二〇〇七年夏天，距初晤已十八年了。不知為什麼他忽然心血來潮，從北京家中打電話向我致意。他當時非常忙碌，除了爭取人權的許多活動外，他又接辦了蘇曉康「民主中國」的網站，同時還擔任著獨立中文筆會的會長。我對他當然十分關切，電話上大約談了十幾分鐘。最使我感覺深刻的不是別的，而是他的態度和語氣與十八年前判若兩人。他變得心平氣和，富於溫情而全無激情；涉及中國前景之類的大問題，他既能從大處著眼，又能從小處著手。余杰對曉波曾有以下一段描寫：

> 九〇年代以來，曉波如同一塊被時間和苦難淘洗得晶瑩剔透的碧玉，早已去除了當年個人英雄主義和自我中心主義的污垢，他變得越來越溫和、越來越寬容、越來越謙卑，用劉霞的話來說，就是越來越讓人感到「舒服」。

我和曉波的兩次談話恰好可以和余杰的觀察互相印證。

我在序文的開頭說，由余杰執筆為曉波寫傳，是「天作之合」。現在我可以交代一下這句話的根據何在。我的根據便是上引余杰那篇〈看哪，這個口吃的人〉（見本書附錄一）。以年齡而言，曉波和余杰是兩代的人，但他們卻生活和思想在同一精神世界之中。更重要的，他們之間的「氣類」相近也達到了最大的限度。讀者只要能細細體味余杰這篇回憶的文字，必能得之。陳寅恪形容他和王國維之間的關係，寫下了「許我忘年為氣類」之句；他們也是「氣類」相近的兩代人。陳寅恪寫〈王觀堂先生輓詞〉和〈王觀堂先生紀念碑銘〉，都傳誦一時，流播後世，正是由於「氣類」相近，唯英雄才能識英雄。現在余杰寫曉波生平，不但有過去，還有長遠的未來，攜手開拓共同的精神世界。這將是歷史上一個最美的故事。

二〇一二年五月十五日於普林斯頓

（原載《我無罪：劉曉波傳》，時報文化，二〇一二）

廖亦武，反抗黨天下統治的現代箕子！

——《六四．我的證詞：從先鋒派詩人到底層政治犯》代序

關於廖亦武其人其事，我最早的認識是從我的朋友康正果口中得到的。正果二〇〇〇年到南京參加學術會議和二〇〇七年去西安探望母親，均與家住成都的廖亦武取得聯繫，並且不辭遠道探望。通過正果的介紹，我對於當代中國這位異人早已獲得了深刻的印象。後來不斷讀到有關他的報導，也偶爾接觸到他的詩文，他的獨

特的形象在我心中也越來越清晰了。

但是廖亦武最近引起我的關注則由於今年（二〇一〇）三月《紐約時報》上一篇醒目的專訊。報上的標題說：「一位中國作家第十三次被阻止出國訪問」。細讀之下，我才發現這位「中國作家」便是廖亦武。原來今年三月德國科隆的文學節，他應邀參加，並將誦讀他的最新作品，但在最後一分鐘，他竟在成都機場被公安人員從飛機上「請」了下來。《紐約時報》的記者在專訊中特別強調：廖亦武遭受到禁止出國的遭遇先後已經十三次了。

無獨有偶，繼廖亦武之後，另一位著名學者崔衛平也在三月下旬被禁赴美。《紐約時報》對這件事也很重視，作了專訪報告，以顯著的版面刊出。崔衛平是北京電影學院的教授，一向以學術研究和政治、社會評論互相結合，也彼此支援，捷克哈維爾（Vāclav Havel）的思想進入中國，她的貢獻甚大。今年她接受了哈佛大學和美國亞洲學會的雙重邀請，先到哈佛講演，再去費城參加討論會。但是在啟程前兩天，學校當局突然取消了她的出國假期。不用說，這當然是出於黨委的授意。但同一時期之內，也同時得到哈佛和亞洲協會雙重邀請的汪暉則順利出境，暢通無阻，對照之下，黨天下的意圖更是無所遁形了。《紐約時報》在新聞分析中也把崔衛平事件和廖亦武案聯繫在一起，並指出中共一向以禁止外訪為懲罰不聽話的人的一個重要手段。

我同意《紐約時報》的分析，禁止出國確是黨天下統治的一個必然環節。但是廖亦武、崔衛平兩大事件的相繼發生卻使我感到，黨天下的控制方式最近似乎在暗中有所調整。我為什麼這樣說呢？這是因為二十年來，中共對於異議分子，特別是受到國際重視的，除了送他們進監獄之外，大體上以放逐為常態。也就是說，把他們流放到西方，永遠不許回國。現在黨天下好像已決定對於某一類的異議分子將採用禁止出國的策略了。我的直覺告訴我，這是一個信號，隱隱約約地透露出黨天下的最新動向。

据廖亦武說，中共《出入境管理法令》中有這樣一條規定：凡是「可能對國家利益造成重大危害」的人都不許出國。因此二〇〇九年官方給他的〈阻止出境通知書〉上所宣布的理由是他「出境後有可能對國家形象造成重大損害」。

我想從兩個方面來看待這一現象。就黨天下一方面說，自上世紀九〇年代起，不必再每年爭取美國的最惠國待遇以後，特別是變成了暴發戶以後，它便毫不遲疑地公開鄙夷人權、民主、自由等等普世價值，對於美國和歐洲各國也開始採取最強硬的姿態。魯迅「一闊臉就變，所砍頭漸多」兩句詩，恰好可以作為最近十幾年來黨天下的忠實寫照。我們可以肯定地說，一直到今天為止，從中共的言行來判斷，它根本便沒有把西方世界的批評放在心上。但現在它忽然關懷起「國家形象」來了，這實在是一個值得重視的轉變。我相信。二十年來，中國作家、詩人、人權活動家、環保鬥士、異議分子等等不斷揭發黨天下的重重黑暗，在全世界已發生深遠的影響。最明顯的，無論在歐洲還是在美國都出現了很多同情他們的人，這對於中共在西方世界進行種種擴張活動構成了無形的阻力。很可能的，中共的危機感隨之加深，意識到不能完全置國際壓力於不顧。

再從廖亦武一方面說，他的作品在國際上所引起的注意已對黨天下構成一種嚴重的威脅，因此才斷定他的出國可能對「國家利益造成重大危害」。我們都知道，廖亦武二十年來的寫作主要集中在中國的底層社會或邊緣社會的人物上面，他的《中國底層訪談錄》和相關作品不但在中國讀者中獲得熱烈的回響，而且通過翻譯在西方也受到很高的評價。《底層》首先在二〇〇三年譯成法文，接著日文、英文、德文、義大利文譯本也相繼問世。由於中國的底層社會是一個未曾探索過的陌生世界，而作者的表達方式又特別深沉有力，他的作品頓時讓讀者的耳目為之一新。最近一位評論家把廖亦武和許多西方文學巨匠如馬克·吐溫、傑克·倫敦、尼古拉·果戈理等人相提並論,並且說:「他就像人生舞臺的一名指揮,其職能又如傑出的醒世人——這個不可或缺的角色,在開放社會因自由而沉睡,在封閉社會則因說破真相而遭罪……」(見蘇曉康〈新「圍城」對話〉一文所引Phillip Gourevitch的評論,《開放雜誌》二〇一〇年四月號,頁八六)。

廖亦武在西方的聲名一直在不斷上升,所以二〇〇九年十月法蘭克福書展特別邀請他在德文譯本面世的時機,去和德國的讀者會面。緊接著,今年三月德國科隆的文學節,他又再度受邀去朗讀自己的最新作品。中共害怕他到西方之後暴露更多的黨天下的真相,因此下定決心不讓他出國。這顯然是經過精打細算的一個決定:禁止作家出境雖然也損害中共的國際形象,但兩害相較取其輕,畢竟比讓他在歐洲公開談話所可能造成的危害性要小得多。

禁止作家和學者出境,從表面看,似乎顯示黨天下的控制又更上了一層樓,可以隨心所欲地封殺知識人的一切活動空間。但深一層看,這正是中共色厲內荏的具體表現。試想它竟視赤手空拳的廖亦武為大敵,怕他一出國門便會對政權造成「重大危害」,這究竟反應出怎樣一種心理狀態呢?我不禁想起聞一多〈最後一次的講演〉中的句子：「他們這樣瘋狂害怕，正是他們自己在慌呵！」我曾一再論證過，自一九七〇年代末葉以來，黨天下便開始了一個漫長的解體過程；「經濟放鬆，政治加緊」則構成這一過程的基本特色。解體每向前跨進一步，「政治加緊」便必然跟著跳上一個新的臺階；這是屢試不爽的。所以我把廖亦武被禁出國看作一個信號，象徵著解體更接近終點了。這是後話，暫且放下。現在我要藉著《六四．我的證詞》這部獄中自傳，談談廖亦武其文其人。

為了寫序，我從頭到尾把《六四．我的證詞》讀了一遍。我必須承認這是一個很艱苦的閱讀過程。我完全可以印證讀者「老樂」的體驗：

讀廖亦武的文章可不容易，他的文章不能讀，需要慢慢過，像過碾子，死一回。從作品震顫出來，彷彿陪了殺場回來，半天恢復不了自主心情。（〈廖亦武與國家機器打個平手〉，《開放雜誌》二〇一〇年三月號，頁四八）

但艱苦儘管艱苦，我在精神上所受到的震動卻是十分強烈的。作者把我帶進一個生平未嘗夢見過的世界，處處是奇峰突起。例如初入收審所時七名賊王給他的下馬威；看守所第五房四個死囚發誓要在黃泉路上做兄弟；他在看守所第六房受獄卒捅電棒並加以羞辱之後撞牆自殺，讀來無不令人驚心動魄。《六四．我的證詞》在無意之間也偶然保存了很可貴的歷史記憶，給我留下印象最深的是關於胡風的事跡。廖亦武最後的囚禁所在是位於大巴山中大竹縣的第三監獄，這座監獄最著名的犯人胡風（張光人），在這裡禁閉了十幾年。不知是有意還是巧合，廖亦武在獄中的鋪位恰好便是胡風當年睡過的地方。所以老犯人對他說：「算起來，你正好補了他的缺。」下面兩個故事是得到其他犯人證實了的：

一，「張光人發瘋關進小院前，一直在二大隊。他個頭大，吃不飽，就偷漿糊。犯人追著打他，他就躬著大蝦腰，在院內東躲西藏，直到把一大碗漿糊一把一把全填進嘴裡，還像饞嘴小孩那樣舔手掌，太可憐了。」

二，「有一回，輪到張光人端飯，下石梯時，不小心摔了跟斗，把全組十幾人的飯都潑了。大夥心疼地追搶遍地亂滾的飯鉢，怒火沖天地把老頭兒揍得學狗爬……從此後，他就經常冒雨站在稀泥裡，望著天空，唸叨『毛主席，毛主席……』一會兒哭，一會兒笑，一會兒拍胸膛和臉蛋。」

我不知道寫胡風傳記的人是不是已將他的獄中生活忠實地呈現了出來，但我讀到這兩段動人的描寫，聯想到中國知識人在黨天下監獄中的普遍命運，忍不住要將原文引出來，供讀者細細咀嚼。

最後，我要略論廖亦武其人，以結束這篇序文。

他是因為捲入「六四」運動而被捕並判刑四年的。但在法庭上他兩次申辯自己「不懂政治」，因而兩度引發了哄堂大笑。其實他說的確是真話，他不但不懂政治，而且對政治根本沒有興趣。如果不是他的加拿大朋友戴邁河遠道從北京跑到涪陵來找他，他大概仍然繼續做他的先鋒派詩人，絕不可能成為一個「六四」政治犯。即使在《大屠殺》長詩的寫作和錄音之後，即使在試著製《安魂》影片之後，他依然未改其詩人的本質。然而中共卻對他另眼看待，同時被捕的人先後都釋放了，祇有他一人入獄四年，打入了社會底層。追源溯始，今天廖亦武因為底層人物的訪談而「嚴重危害到黨天下的利益」，正是黨天下體制本身所一手造成的。這真是一個最辛辣的諷刺。

廖亦武的文學生命確是在中國底層人物的世界中充分發揮了光和熱的，因為這個世界為他的創作提供了無盡的源頭活水。但這不是出於他的選擇；他是被放逐到底層，他的創造力也祇能在底層才有施展的餘地。在這一點上，他和王陽明在龍場的頓悟經驗很有相似的地方，陽明回憶這一特殊經驗說：

吾居龍場時，夷人言語不通，所可言者中土亡命之流。與論知行之說，更無拍格，久之並夷人亦欣欣相向。及出與士夫言，反多紛紛同異，拍格不入。（《傳習錄拾遺》，收在《王陽明全集》，上海古籍出版社，一九九二，頁一一七二）

王陽明被傳統專制體制貶逐到社會底層，因此才有機會接觸「亡命之流」和夷人；他的良知學便是在這些底層人物中逐步發展成熟的。他後來與一位聾啞者楊茂的筆談，尤其顯示出他對底層人物的深厚興趣。（見〈諭泰和楊茂〉，《王陽明全集》，頁九一九—九二〇）

廖亦武是被現代黨天下投入獄中而後和底層人物打成一片。但黨天下是一個混合體，一部分是移植過來的史達林模式，另一部分則是中國傳統專制所提供的心理背景（毛澤東便曾公開認同於秦始皇與明太祖）。如果沒有後者的暗中接引，前者是移植不過來的；即使移植過來也不容易很快地生根成長。所以，就被逼入底層世界這一點而言，王陽明和廖亦武雖相去四、五個世紀，其間仍然存在著一條歷史線索。

王陽明是儒家士大夫的典型，一生追求的是「道」的實現，所以當時人說他「其心惟欲安天下之民，共成天下之治」。廖亦武其人則絕不屬於這一型。

我曾向自己提出一個假設性的問題：如果我來寫史，像廖亦武這樣的人究竟應該放在何種人物範疇之中？經過再三考慮之後，我覺得《後漢書》所特設的〈獨行傳〉是唯一合適的所在。「獨行」一詞出於《禮記．儒行》篇的「特立獨行」，主要指一種超卓的精神，不肯遵守多數人認可的行為規範。所以〈獨行傳序〉說「獨行之士」是「蓋失於周全之道，而取諸偏至之端」。廖亦武無論是寫朦朧詩，或訪談底層人物，都表現出「取諸偏至之端」的傾向，這一點是毫無問題的。而且〈獨行傳〉的人物雖然同有「操行俱絕」的特色，然而卻包括了種種不同的類型，其中最與廖亦武相近的則是所謂「志剛金石，而剋扞於強禦」的一型。他二十年來的行為與作品都充分證實了這一點。就廖亦武所體現的「獨行」精神而言，他象徵著中國傳統文化對於現代黨天下統治的反抗，其意義是十分深遠的。

在結束這篇序文之前，我還要更進一步提議：廖亦武可以被看作是現代的箕子。《論語．微子》：「微子去之，箕子為之奴，比干諫而死。孔子曰：殷有三仁焉。」

這是指在殷末紂王暴虐，微子跑走了，箕子抗議無效，降為奴隸，而比干則因忠諫而遭殺害。這三個人的行為和結局各有不同，但其為反對暴政則一。所以孔子稱讚他們是三位仁人。這裡祇說箕子。《史記．宋微子世家》云：

箕子者，紂親戚也……紂為淫佚，箕子諫不聽……乃披髮佯狂而為奴。遂隱而鼓琴以自悲，故傳之曰：〈箕子操〉。

現代學者即援《論語》「為之奴」以及《殷本紀》「紂又囚之」等說法，斷定箕子並不是「自為奴」，而是「紂囚箕子奴之也」。依照這一段記述，箕子是中國史上第一個打入監獄的暴政反對者，因而與底層社會人物（「奴」）混在一起。更巧的是箕子後來「鼓琴自悲」，有〈箕子操〉的樂章傳世。廖亦武則在獄中向老和尚學會了吹簫，出獄後吹簫賣藝，在社會底層廣為流傳。合起來看，廖亦武的遭遇豈不便是箕子的現代翻版嗎？

箕子竟成為廖亦武的歷史原型，這是很能引人深思，然而卻絲毫不必詫異的。當然，《史記》中所呈現的箕子太遙遠了，祇能視之為傳說，而非信史。但司馬遷能通過他的想像力而整理出這一段動人的故事，這便說明廖亦武的歷史原型確實存在於中國文化的精神體系之內。這一中國淵源便使廖亦武不同於前蘇聯的異議分子，如索忍尼辛。所以我的最後一句話是：

廖亦武，反抗黨天下統治的現代箕子！

二〇一〇年四月二十七日於普林斯頓

（原載《六四・我的證詞：從先鋒派詩人到底層政治犯》，允晨文化，二〇一一）

事事關心

——《為自由而自首：吾爾開希的流亡筆記》代序

最近我有機會和吾爾開希長談，又拜讀了他的論文集——《為自由而自首》，十分欽佩他二十多年來的進步和成就。開希要我為他的文集寫一篇序文，紀念「六四」民主運動的二十四週年，我覺得義不容辭。

開希流亡差不多已四分之一世紀了。在這一漫長的時期中，他不但一直在繼續著民運的大業，而且也通過閱讀、觀察、生活體驗等等管道成長為一個極其卓越的政治評論家了。從談話和文集中，我深切認識到：他的知識面廣闊、批判力鋒銳、判斷力精準，無論是推動民主還是評論時事，都是如此。

但是追究到底，這些特色是和他的基本人格取向分不開的。我覺得他的基本人格中一個最重要的向度便是「關心」。明末東林學派的領袖們留下了「家事國事天下事，事事關心」的名言。文革時迫害致死的鄧拓寫過一首廣為傳誦的詩，其中兩句說：「東林講學繼龜山，事事關心天地間。」

可知「關心」早已進入中國知識人的傳統了。開希「從小喜讀古書」（〈「識正書簡」之我見〉），我相信他的「關心」必輾轉從這一傳統中得來。

由於「事事關心」，他在中國便關心中國，在台灣便關心台灣；他既出於維吾爾族，當然更不能不關心新疆。推而廣之，他對西藏人的遭遇也同樣抱著無限的關懷。他說，他是維吾爾人，也是台灣人，只有中國自由了，他才自由。這些話都發乎內心，我是深信不疑的。

「事事關心」便不能有限制。所以他對狹隘民族主義深惡痛絕。因為民族主義一旦走上狹隘之路，人們「關心」的範圍便越縮越小，二戰前義大利的法西斯、德國的納粹和日本的軍國主義便提供了典型的例證。如何防止狹隘民族主義的復燃在今天的中國尤其是有重大的現實意義。正如開希在〈狹隘民族主義形成的原因〉和〈抗戰勝利該給我們的啟發〉兩文中所說的，中共為了維護其一黨專政的統治，「採取了和當年納粹、法西斯、軍國主義一樣的模式，宣傳虛擬的外國威脅來凝聚國民對國家的支持，並蓄意模糊和混淆國家、政府及執政黨之間的分界。」其結果則是「今天在中國一些網站上充斥著和當年，戰爭爆發之前與東京、柏林、羅馬相同的言論。」

同樣的，由於他的「關心」是沒有限制的，自一九九六年定居台灣以後，他始終能超越於一切黨派觀點之上。他因為喜歡台灣而自覺地成為一個台灣人。他在〈我也是台灣人〉告訴我們：

> 因為喜歡，自然關心，而進一步就有了承擔。……從關心教育，關心治安，到進一步關心政治，都不再僅僅是以外人的身分。

但我們一讀集中「關心」台灣的政論，便會立即發現，他的批判完全以理性為依歸，不問國民黨或民進黨，不管在朝黨或在野黨，不分藍或綠，甚至也不考慮和他個人關係的親或疏。很顯然的，在寫這些文字時他「關心」的是整個台灣。

不必諱言，「關心」中國大陸一定是他時時刻刻不能去懷的隱痛。二十四年了，他日夜思念著雙親而中共則下定決心不讓他有任何可以和父母相見的機會。他的父親一向害怕共產黨，但開希告訴我們：有一次父親竟然，用激動的語氣說出了他這幾年在電話中最無懼的一句話：「祝你們爭取一個沒有恐懼的社會的努力早日成功。」（〈爭取一個免於恐懼的社會〉）我讀了這句話非常感動。「免於恐懼」是羅斯福總統在上世紀四十年代所提倡的「四大自由」之一（freedom from fear），現在連最怕共產黨的人也「無懼」地說出這句話來，「中國自由」的日子應該不遠了。二十多年來，開希為爭取「中國自由」作了無數的努力，最近竟三次「為自由而自首」。諷刺的是，二〇〇九年中共駐澳門的聯絡處、二〇一〇年東京駐日大使館和二〇一二年華府駐美大使館都不敢接受他的報案。這次是輪到中共「恐懼」了。「中國自由」離我們更近了。是為序。

二〇一三年五月十五日
寫於普林斯頓

（原載《為自由而自首：吾爾開希的流亡筆記》，八旗文化，二〇一三）

輯四

偶讀巴森文化史巨著

讀書的經驗因人而異，介紹公認的「必讀書」是很難的。從張之洞的《書目答問》，到一九二〇年代胡適和梁啟超開列的「國學書目」，都曾熱鬧過一時，但在專門研究國學圈外究竟產生過多少影響卻不容易估計；即使在專門圈內，其效果也難說得很。所以一九二五年魯迅答《京報副刊》關於「青年必讀書」的問卷，便諷刺地說：「從來沒有留心過，所以現在說不出。」我並不想學魯迅的筆調，不過對他的窘困卻是同情的。

現在只說我個人的經驗。我對於歷史、文化、思想之類的知識發生了追求的興趣，大概是一九四七至一九四八年間的事。當時閱讀的範圍很廣，但都是淺嘗輒止。這種情況一直延續到我在一九五二年從香港新亞書院文史系畢業還沒有大變化。每一個人都受時代的影響。在我成長的歲月中，中國文化思想正處於最衝突、也最混亂的狀態。所以中國傳統的、西方的書刊我大致都接觸過。《圍城》小說中的方鴻漸，讀書「興趣很廣，心得全無」，大概也是我早年的寫照。現在回想起來，惟一可報告的是我是帶著許多困惑和問題去泛觀群書的。而這些困惑和問題則都起於我必須解答關於自己的價值抉擇和人生取向。我不願意為當時混亂的思潮所淹沒，總想找到一條可以心安理得的道路，使自己可以清醒地走下去。這點想法是我們當時東摸西看的主要動力。但是在閱讀過程中，並沒有某一部或幾部書對我起過「頓悟」的作用，也沒一位或幾位古今中外的大師使我崇拜到五體投地的境界。在讀書世界中，我是一個「多神論者」，我觀賞許多名著，也佩服許多傑出的大師，從不敢存一絲狂妄的念頭。然而我要追尋的畢竟是自己的精神歸宿，這不是任何別人能給我的，無論他是多麼偉大。所以我的經驗可以用杜甫「轉益多師」這半句詩作為總結。不過讀書必須取法乎上，在任何一門學問中都要選取第一流的著作。青年人的興趣各有不同，只能各就所需，向識途徑者請教。這在今天並不是難事。

上面的說明雖是我的早年經歷，其實大體上也通用於中年以後進入專門研究領域的階段，不過有「多惑」與「少惑」之別而已。總之，我一生讀書只不過是一個多方面摸索的過程，「困知」、「日知」的感受很深，大徹大悟的境界則從未到達過，這也許是學術研究不同於宗教信仰的緣故，始終支持著這個摸索過程的動力則是一種與日俱增的求知樂趣。

最後，我也願意介紹一部書，但不是我早年所讀的名著，而是本偶然讀到的新作。公元二〇〇〇年美國出版了歐洲文化史大師巴森的《從黎明到衰頹：五百年來的西方文化生活》（中文版貓頭鷹出版社發行，鄭明萱譯），寫的是五百年來西方文化生活的演變史。這不是一部普通的史書，更不是教科書，而是一位九十三歲高齡的博雅老人一生讀書和反思的最後結晶，他面對著西方文化價值受到全面質疑的今天，提出了他個人的觀察。我不可能在這裡介紹這部八百頁的大書，有興趣的讀者必須自己去發掘它豐富的內容。此書深入淺出，大可雅俗共賞。後現代派的讀者也許會覺得其中某些論點不甚相契，但這是不相干的。我推薦它是因為它可以讓我們窺測西方人文修養深厚的學人究竟是像什麼樣子。此書出版是當年美國文化界一件大事，報章和電視都有評論和訪問。中國人如果真要想重振「人文精神」，這是一塊大可借鑒的他山之石。順便介紹一下巴森，他出生在法國，十三歲移民美國，一直是哥倫比亞大學的史學教授和文科領袖，但已退休二十多年了。

這部令人百讀不厭的《從黎明到衰頽》，現在有中譯本了，這是使我十分興奮的事。這部中譯本完全對得起原著。我抽閱了譯本的有些篇章，並與原書比勘之後，我發現譯者的巧筆很能盡原文的曲折。這是一部很難譯的書，因為其中充滿著西方文化史上各方面的專門名詞和典故。但譯者都能反覆推敲，最後以流暢的文字表達出來。讀了這部譯本，不懂英文的人也可以對五百年來的西方文化演變，獲得一種有深度的認識。

（原載《明報月刊》，第三十五卷第七期，二〇〇〇；後改題為〈一部文化史巨著〉，收於《從黎明到衰頽：五百年來的西方文化生活》，貓頭鷹出版社，二〇〇四）

《啟蒙運動》推薦序

Gay 的經典之作，為我們認識「啟蒙」提供了迄今為止，最可靠的一座橋樑。

Peter Gay 兩卷本的 *Enlightenment* 研究是關於歐洲啟蒙運動史的經典之作，雖然分別完稿於一九六六和一九六九，但根本不發生所謂「過時」的問題，近三、四十年來，這一領域儘管日新月異，卻未出現一套有系統的新解足以取本書而代之。

Gay 寫這部鉅著時，他的爭辯對象是 Carl Becker 的《十八世紀哲學家的天國》（*The Heavenly City of the Eighteenth-century Philosophers*, 1932）。Becker 此書

篇幅極短，然而論點鮮明，提出了對啟蒙運動的整體看法，成為西方（至少美國）史學界的正統觀點。

Becker 強調啟蒙思潮仍未全脫中古思惟模式的籠罩，當時思想家所用的建構材料雖然是很新的，但所建構出來的「天國」（Heavenly City）則一仍中古之舊。這一論斷在美國史學界流行了三十多年，未受到嚴重的挑戰，直到 Gay 的著作問世，才發生了基本變動。Gay 先後花費了六、七年的時間，遍讀十八世紀原始資料，提出了全面性的新解讀。僅以功力而論，Gay 的兩卷本專著已遠非 Becker 的講演集所能匹敵，Becker 是一位卓越的史學大家，沒有人能夠懷疑。他的論點也確有堅強的根據，並非簡單的「錯誤」，不過稍嫌片面，將一個重大的歷史時期簡單化了。Gay 則從多方面運用極其豐富的史料將整個啟蒙運動的面貌呈現了出來。他相當肯定了啟蒙的現代價值和意義，認定啟蒙上接文藝復興，恢復了古代經典的地位，並以古典的多元而開放精神對抗中古教會的武斷和不容忍。自由、進步、科學、寬容等都是在十八世紀的歐洲開始發展出來的，更重要的，啟蒙也導致了美國的獨立革命和一個嶄新的民主自由社會的建立。Gay 特別指出：當時歐洲的啟蒙思想家都引美國的創建為榮，認為這是啟蒙的精神價值的最高體現。總之，啟蒙運動是西方文化史上一個極重要的階段，不但承先啟後，而且包涵著種種複雜的成分。Gay 的專著則儘量客觀地但同時也抱著同情的理解，把這一段複雜而困難的歷史進程分析得井然有序。今天有不少人開始懷疑以至批判啟蒙的歷史與現實功能，但無論對啟蒙取肯定或否定的態度，首先我們必須認真地認識它，Gay 的經典之作為我們認識啟蒙提供了迄今為止最可靠的一座橋樑。

〇八・九・十五

（原載《啟蒙運動》，國立編輯館與立緒文化事業公司聯合出版，二〇〇八）

幾句推薦的話

霍夫士達特（Richard Hofstadter）《美國的反智傳統》中文譯本問世是台灣學術文化界一件值得慶賀的大事。這是美國史學史上一部傳世的傑作，自一九六三年以來發生了廣大的影響。承八旗出版社的美意，希望我寫一篇「推薦序」。但我年事已高，最近又恰恰忙於整理並編定一部英文專著，實在排不出時間來重讀霍氏原書與譯本，所以「序」是無論如何也寫不成了。為了引發讀者對於本書的閱讀與趣，我願追憶一下四五十年前接觸本書的經過。因此下面寫的只能算是「幾句推薦的話」。

本書出版後轟動一時，我大概在六十年代末便買來細讀一遍。但萬萬沒有想到，「反智論」這一論旨竟對我發生了深刻的影響，使我對中國史上的反智現象進行了多次有系統的反思。一九七三至七五，我回到香港兩年，那正是「文化大革命」籠罩著整個大陸的時代。我終於情不自禁，在一九七五年寫了〈反智論與中國政治傳統〉那篇長文。更出意外的是此文在《聯合報》連載期間，卻有意無意之間觸動了台灣學術文化界的政治神經，因而引起了廣泛而持續的強烈反應。我這篇文字主要是受霍氏原著的啟發而構思的。這就是說，霍氏的《美國的反智傳統》書中的某些論點早在四十多年前已間接地傳入台灣了。

我讀霍氏此書並不是趕時髦，而是因為我對美國思想史一直保持著很深的興趣。上世紀五十年代末我曾在哈佛旁聽美國思想史名家施萊辛格（Arthur M. Schlesinger Jr., 1917-2007）的課，他在課堂上對霍氏的史才與史學推崇備至。他和霍氏是當代兩大天才，同樣的聲名顯赫。霍氏年長一歲，一九四四年他的博士論文《美國思想中的社會達爾文主義》（*Social Darwinism in American Thought, 1860-1915*）出版，暢銷二十萬冊，立成大名。一九四五年九月施氏《傑克遜時代》（*The Age of Jackson*）出版，也一舉成名。但施氏後來承認，霍氏當時在《新共和》（*New Republic*）期刊所寫的書評是《傑克遜時代》能夠轟動一時的一大因素。這是我閱讀《美國的反智傳統》的背景。

最後我要指出，反智論成為美國人文學界的一個熱門話題，並不是從霍氏開始的。例如最近剛過世的哲學家懷特（Morton White, 1917-2016），我在哈佛曾修過他的歷史哲學，早在一九六〇年便寫過〈反智論的反思〉（*Reflections on Anti-intellectualism*），一九六二年刊在Daedalus 學報上。五、六十年代，一方面艾森豪總統不重視知識人，另一方面狂熱的反共參議員麥加錫（Joseph McCarthy，任期在一九四六至一九五七年）又在各大學和研究機構找知識人的麻煩。這是當時「反智論」興起的政治背景。霍氏《美國的反智傳統》是當時關於這一論題的集大成之作。由於他的研究將思想史、社會史和政治史融合為一體，所以特別獲得廣大讀者群的欣賞。這部書為什麼今天又引起很多美國人的興趣呢？我相信這是和川普當選總統分不開的。

這是想了解今天美國的人所必須閱讀的一本書。

二〇一八年六月十五日

（原載《美國的反智傳統：宗教、民主、商業與教育如何形塑美國人對知識的態度？》，八旗文化，二〇一八）

《新橋譯叢》總序

這一套《新橋譯叢》是在台灣新光吳氏基金會獨力支持下進行編譯的。其範圍廣及人文社會科學的幾個最重要的部門，包括哲學、思想史、歷史學、社會學、人類學、政治學、經濟學等。我細審本叢書的書目和編譯計畫，發現其中有三點特色，值得介紹給讀者：

第一、選擇的精審。這裡所選的書籍大致可分為三類：第一類是學術史上的經典作品，如韋伯（M. Weber, 1864-1920）和涂爾幹（E. Durkheim, 1858-1916）的社會學著作。經典著作是禁得起時間的考驗的；作者雖已是幾十年甚至百年以前的人物，但是他們所建立的典範和著作的豐富內涵仍然繼續在散發著光芒，對今天的讀者還有深刻的啟示作用。第二類是影響深遠，而且也在逐漸取得經典地位的當代著作，如紀爾茲（C. Geertz）的《文化詮釋》（*The Interpretation of Cultures*）、孔恩（T. Kuhn）的《科學革命的結構》（*The Structure of Scientific Revolutions*）等。這些作品是注意今天西方思想和學術之發展動向的中國人所不能不讀的。第三類是深入淺出的綜合性著作，如帕森思（T. Parsons）的《社會演進》（*The Evolution of Societies*）、契波拉（Carlo M. Cipolla）主編的《歐洲經濟史論叢》（*The Fontana Economic History of Europe*）。這些書的作者都是本行中的傑出學人，他們鉤玄提要式的敘述則可以對讀者有指引的功用。

第二、編譯的慎重。各書的編譯都有一篇詳盡的導言，說明這部書的價值和它在本行中的歷史脈絡，在必要的地方，譯者並加上註釋，使讀者可以不必依靠任何參考工具即能完整地了解全書的意義。

第三、譯者的出色當行。每一部專門著作都是由本行中受有嚴格訓練的學人翻譯的。所以譯者對原著的基本理解沒有偏差的危險，對專技名詞的中譯也能夠斟酌盡善。尤其值得稱道的是譯者全是年輕一代的學人。這一事實充分地顯示了中國在吸收西方學術方面的新希望。

中國需要有系統地、全面地、深入地了解西方的人文學和社會科學，這個道理已毋需乎再有所申說了。了解之道必自信、達、雅的翻譯著手，這也早已是不證自明的真理了。民國以來，先後曾有不少次的大規模的譯書計畫，如商務印書館的編譯研究所、國立編譯館和中華教育文化基金會等都曾作過重要的貢獻。但是由於戰亂的緣故，往往不能照預定計畫進行。像本叢書這樣有眼光、有組織、有能力的翻譯計畫，是近數十年來所少見的。我十分佩服新光吳氏基金會的深心和魄力，也十分欣賞《新橋叢書》編輯委員會的熱忱和努力。我希望這套叢書的翻譯只是一個新的開始，從初編、二編、三編，不斷地繼續下去，持之以恆，人文學和社會科學在中國的發展一定會從翻譯進入創造的階段。是為序。

一九八四年九月五日

（原載《新橋譯叢》叢書，一九八四）

輯五

《現代儒學論》自序

本書收集了論現代儒學的文字共六篇，所以全書定名為《現代儒學論》。

我出生在「五四」新文化運動之後十來年，沒有趕得上當時反傳統、反儒家的潮流。一九三七—一九四六年，我在安徽潛山縣鄉居凡九年那是一個風氣閉塞的傳統農村，儒家文化雖已處於十分衰落的狀態，但仍然支配著日常的社會生活；一切人倫關係，從婚喪禮俗到歲時節慶，大體上都遵循著儒家的規範而輔之以佛、道二教的信仰和習行。所以對於我個人而言，傳統儒家文化並不僅僅是一個客觀研究的對象，用人類學的套語說，我曾是這一文化的內在參與者。一九四六年以後，我才開始接觸到「五四」時代反傳統、反儒家的論述，包括陳獨秀、吳虞、魯迅等人的作品，和更早而破壞力也極大的譚嗣同的《仁學》。今天事過境遷，我們不難看出：這些反傳統、反儒家的知識分子最初也都是內在參與者；他們從參與走向反抗，終於釀成反傳統、反儒學的大動盪。他們的反抗確有其生活經驗的內在根據，並非來自純智性的反思，因此也不是客觀研究所能化解的。從清末到「五四」，中國知識分子特別為「個人自主」的觀念所吸引，這雖然是從西方傳來的思想，但也由於明清社會思想中已逐漸發現了個人之「私」（與「公」相對）的重要性。「吃人的禮教」的口號之所以能激動許多知識分子的心靈，這也是一個重要的線索。所以若專從中國思想史的內部發展著眼，晚清至「五四」的反儒家運動也未嘗不和魏晉時期「名教與自然」的爭議有一脈相通之處。章炳麟表揚王充、劉師培提倡鮑敬言，以及魯迅欣賞嵇康，並不是偶然興到的巧合；其中貫穿著一個本土的思想轉向，即個體自由要求衝決群體秩序的網羅。嵇康〈難自然好學論〉說：

> 六經以抑引為主，人性以從欲為歡。抑引則違其願，從欲則得自然。然則自然之得，不由抑引之六經，全性之本，不須犯情之禮律。

晚清至「五四」的知識分子中便有不少人是抱著與嵇康相同的想法的，不過他們反儒學已不再歸宿於老莊的自然，而是被更具解放力的西方個人意識吸引過去了。

但是內在參與者的生活經驗各有不同，並不是所有的參與者都必然會成為反抗者。蕭公權（一八九七—一九八一）晚年回憶他在一九二〇年赴美留學前夕的思想狀態，說：

> 那時照舊法計算，我已經二十四歲了．因為我生長在一個舊式家庭裡面，又養成了高度書呆子的習性，雖然面對著一個新時代（一個政治、社會、文化都在動盪的時代），我好像是視若無睹，漠不關心，豈但不關心，在思想上甚至趨於「反動」。我批評提倡白話文學者的言論，認為過於偏激。我不贊成「打倒孔家店」，認為反對孔子的人不曾把孔子的思想與專制帝王所利用的「孔教」分別去看而一概抹煞，是很不公平的。現在回想起來，我真是不識時務，但我不能承認我的看法毫無理由。（《問學諫往錄》，頁三八）

這不過是「五四」時期許多例子之一，說明當時中國知識分子可以在政治、學術各方面心安理得地接受現代西方的新觀念和新價值，但在立身處世方面卻仍守儒家的舊義不變。

「五四」以來，中國思想界的基本取向是求變求新，而「變」與「新」的標準則是由現代西方提供的，因此「現代化」和「西化」有時幾乎已成為同義語。但在整個二十世紀，西方文化內部發生了一次嚴重的分裂。在文藝復興、啟蒙運動所造成的主流文化之外，西方出現了一股巨大的反主流的思潮，前蘇聯和前納粹德國的創建便是這股反主流思潮的體現。西方的分裂立即波及全世界，在以前追求「西化」的非西方地區，都有反西方的西化勢力隨之興起。以前各民族的西化運動大體上是緩和的，漸進的；知識分子對於本土的傳統雖採取批判的態度，卻仍在理性討論的範圍之內。但反西方的西化（anti-western Westernization）則與革命暴力結了不解之緣，因此反西方的西化者對內必使用暴力摧毀本土的傳統，以求「將革命進行到底」。二十世紀的中國便恰好完整地經歷了這兩個階段的「西化」。（關於西化和反西方的西化，可看Theodore H. von Laue, *The World Revolution of Westernization, the Twentieth Century in Global Perspective*, Oxford University Press,

1987）以一九四九年為分水嶺，前半個世紀中國知識分子嚮慕西方主流文化，所以「民主」與「科學」成為「五四」新思潮的兩大綱領；後半個世紀則是反西方的西化在中國取得了絕對的統治地位。在這兩個階段中，中國的文化傳統，特別是儒家，所受到的待遇截然不同。在前一階段中，領導西化運動的主要是一部分知識分子，他們並沒有權力可以禁止種種不同的甚至相反的議論。「打倒孔家店」和闡揚儒家的人仍然可以並存，在社會影響上彼此也往往互相制約。但在後一階段中，傳統文化和儒家則變成了被踐踏、被攻擊的對象，持異見的人已沒有公開申辯的機會了。

以上一段簡短的歷史回顧，對於今天關懷儒學重建的人是相當緊要的。在二十世紀上半葉，無論是反對或同情儒家的知識分子都曾是儒家文化的參與者，因為他們的生活經驗中都滲透了不同程度的儒家價值。因此他們之間的爭論絕不僅僅是純理論層面的問題。我們今天讀《吳虞日記》（一九八四年出版），看到他和他的父親之間的激烈衝突，在《日記》中竟稱之為「老魔」，便不會奇怪他為什麼要寫〈非儒〉、〈吃人與禮教〉那些文字了。相反地，蕭公權的父母早逝，卻受大家族制度之惠，由伯父母等撫育成人，他當然不能贊同「打倒孔家店」的偏激論調。

但是一九四九年以後，由於革命暴力幾乎將中國民間社會摧殘殆盡，儒家的中心價值在中國人的日常生活中已不再能公開露面。所以今天中年以下的中國知識分子，無論對儒學抱著肯定或否定的態度，都已沒有作參與者的機會了；他們在生活經驗中或者接觸不到多少儒家的價值，或者接觸到的是一些完全歪曲了的東西。即使是五十年代後在大陸以外成長起來的知識分子，由於時移世易，也終不免書本上的儒學遠超過生活經驗中的儒家價值。這是一種無可奈何的客觀形勢，但對於今天的儒學討論卻發生了決定性的影響。

最近十年來，由於種種外在因素的刺激，大陸和海外的儒學討論突然變得活躍起來了。如果我們將現階段的儒學討論和從譚嗣同到「五四」的爭議作一宏觀的比較，有一個根本的差異是無法掩藏的：今天的討論已沒有生活經驗的內在根據，而是將重點放置在儒學究竟屬於什麼形態的宗教或哲學，以及現代人（主要還是指知識分子）怎樣才能在重新建構的儒學中「安身立命」。這一路數的現代儒學的重建工作，如果獲得具體的成就，其價值是不容置疑的。但作為一種哲學，它的貢獻主要仍在學術思想界；作為宗教，它的信徒則將限於少數儒家教團。至於它怎樣和一般人的日用常行發生實際的聯繫（如王陽明所謂「與愚夫愚婦同的便是同德」），現在還不容易預測。我在〈現代儒學的困境〉（收入本書）一文中所提出的「游魂」說便是針對著這種情況而言的。我用「游魂」兩字純是一種現象的描述，絕無貶斥或揶揄的意味。但引用「游魂」說的人往往發生意想不到的誤解，我曾見到一種意見，認為「游魂」說的前提是把儒學和歷史上儒學發生與成長的政治結構、社會組織以及經濟制度等看作是不可分開的必然關係。這樣的誤解實在出乎常識以外，我覺得有必要稍作澄清。

任何人對於「游魂」一詞的古典用法具有常識的了解，大概都知道「魂」能從「體」游離出來，其前提恰恰是二者並非絕對必然的關係。把現代儒學比喻為「游魂」首先便承認了它可以離開傳統的歷史情境而獨立存在。但對於傳統儒學有常識性理解的人也無不深知儒學自孔子以下都不尚「托之空言」而強調「見之行事」。換句話說，儒家的價值必求在「人倫日用」中實現，而不能止於僅成為一套學院式的道德學說或宗教哲學。在這個意義上，儒學在傳統中國確已體現為中國人的生活方式，而這一生活方式則依附在整套的社會結構上面。二十世紀以來，傳統的社會結構解體了，生活方式也隨之發生了根本的改變。我們今天觀察儒學在中國地區的實際狀況，不能不得出一個無可避免的結論，即儒學「托之空言」已遠遠超過「見之行事」了。這是客觀的歷史形勢造成的，並非由於今人不及古人。但眼前的趨勢則是很清楚的：一方面儒學已越來越成為知識分子的一種論說（discourse），另一方面，儒家的價值卻和現代的「人倫日用」越來越疏遠了。這是我用「游魂」來描述儒學現況的主要根據。宣揚儒家的人常常說：儒家擁有豐富的精神資源。如果僅僅作為一種模糊影響之談，這句話是可以說的。但是我們不能不問：這一豐富的資源究竟「存在」於何處？我可以承認它「存在」於儒家經典之中，甚至也「存在」於現代論說之中。至於它是否「存在」於宣揚儒學的知識分子的「身體力行」之中，我已不敢輕易置答。但如果說今天十二億中國人的「人倫日用」之中仍然「存在」著豐富的儒家價值，那便恰好和經驗事實相反了。（關於儒家價值被嚴重摧殘的情況，八十年代末朱謙先生在上海附近地區所做的實地調查提供了可信的證據。（見Godwin C. Chu and Yanan Ju., *The Great Wall in Ruins, Communication and Cultural Changes in China,* State University of New York Press, 1993）現在的問題是：現代儒學是否將改變其傳統的「踐履」性格而止於一種「論說」呢？還是繼續以往的傳統，在「人倫日用」方面發揮規範的作用呢？如屬前者，則儒學便是以「游魂」為其現代的命運；如屬後者，則怎樣在儒家價值和現代社會結構之間重新建立制度性的聯繫，將是一個不易解決的難題。儒家並不是有組織的宗教，也沒有專職的傳教人員；而在現代社會中，從家庭到學校，儒家教育都沒有寄身之處。一部分知識分子關於現代儒學的「論說」，即使十分精微高妙，又怎樣能夠傳布到一般人的身上呢？八十年代新加坡「儒家倫理計畫」的失敗便是一個前車之鑑。

我只是一個學歷史的人，又曾幸運地參與了儒家文化的最後階段。對於傳統儒家文化的優點和缺點，我都有一些切身的體驗我很了解「五四」時期反傳統、反儒家的知識分子的內在根據，他們並不是「無的放矢」。但是我不能接受他們的極端立場和激越情緒。我不承認一切儒家價值都和現代文化處於勢不兩立的地位。相反的，我認為儒學的合理內核可以為中國的現代轉化提供重要的精神動力。然而我也不相信中國今天能夠重建一個全面性的現代儒家文化。這是因為西方文化對於儒學的衝擊遠遠超過了佛教的範圍。如果借用《大學》的語言來表示，我們可以說，佛教的挑戰主要在「修身」以下的節目之內，即正心、誠意、致知、格物。儒、釋雙方所爭的關鍵是對「此世」取肯定或否定的態度。佛教否定「此世」，故根本不發生齊家、治國、平天下的問題。因此程、朱用《大學》作「間架」，即可重建「修己治人」的儒家規模。但西方文化的挑戰則是全面性的，使《大學》的整體結構，從「三綱領」到「八條目」，無一節不發生動搖。一個多世紀以來，若干西方的觀念和價值已傳人中國，並在中國人心中生了根，而且最先接受這些觀念和價值的正是晚清的儒家。所以中國的現代化已不可能完全排除西方文化的成分；儒家在現代化的過程中怎樣和西方成分互相融合和協調才是問題的關鍵所在。但無論儒學怎樣調整其結構，它在齊家、治國、平天下的領域中都已不可能像過去一樣，繼續運用《大學》的傳統模式了。

基於以上的理解，本書所收關於現代儒學的文字都屬於「卑之毋甚高論」的一類。其中既沒有「哲學睿識」足以與西方流行的「論說」相頡頏，也沒有「神解妙悟」足以與世界各大宗教進行「對話」。我僅僅根據歷史的線索，並以個人的生活經驗為背景，對於儒學從傳統到現代的轉變提出一些淺近的觀察。如果用宋儒關於「形而上」和「形而下」的劃分，那麼我可以說本書論現代儒學僅限「形而下」的部分。因此儒家政治、社會、倫理觀念的變遷是本書討論的重點所在。我的抉擇並不是任意的，而是基於兩個理由：第一，我願意「詳人之所略，而略人之所詳」。近幾十年來的儒學討論主要集中在「形而上」的部分。這是因為在一般流行的觀念，「宋明理學」代表了儒學的最後階段，而「理學」則必然是「形而上」的。很自然的，有志於發展現代新儒學的人大致都「接著」宋明理學講（馮友蘭語），而不斷開闢著「形而上」的領域。西方的柏拉圖、康德、黑格爾、柏格森、懷德海，以至海德格因此都成為現代儒學的援軍。這一方面的研究成績有目共睹，毋待贅述。但是在「形而下」的領域內，儒家思想的發展並不是與理學密合無間的。十六世紀以來，儒家在社會、政治、經濟、倫理各方面的觀念都發生了微妙而深刻的變化；而這些變化和十九世紀中葉以後儒家對西方文化所做的選擇性的接受又有內在的關聯。關於這些「形而下」領域內的儒學變動，近人的研究則較少。這是本書取捨與時流不同的一個重要依據。第二、宋明理學的「形而上」途徑主要由佛教的刺激而起。釋氏心性之論的廣泛流行逼得儒家不能不「鞭辟向裡」。但是近代西方文化對於儒學的挑戰主要不在「形而上」而在「形而下」的領域之內。因此在西學東漸的前夕，儒學在社會、政治、經濟、倫理各方面的思想新基調似乎更值得我們重視。由於「形而下」方面的思想資料散在各處，不像理學那樣集中，現代治思想史的人對於它們的重要性還缺乏系統的認識。本書第一篇便是在這一方面的初步嘗試。

從一個較廣闊的歷史視野看，最近一千年的儒學絕不是「宋明理學」和「清代考證學」所能包盡的。以政治、社會各面的思想而言，明清是儒學基調發生重要變化的一個歷史階段。我最近又寫了〈明清社會變動與儒學轉向〉一篇專論，但已來不及收入本書。此文與本書第一篇互相呼應，旨在指出儒家「形而下」的思想正在朝著一個新的方向移動，我不敢說這便是中國本土的「現代性」的出現，但是我希望能夠矯正一個相當普遍的誤解，即認為儒家思想自明末以後便已完全陷於停滯僵化的狀態。今天頗有一些中外史學家開始注意十九世紀中葉以來中國歷史發展的內在動力；他們已不能接受中國近代的變動完全由西方挑戰所激起的主流觀點了。本書論現代儒學也許可以從社會史與思想史的互動方面為這一新的研究方向增添一個有力的論證。

一九九六年七月二十五日序於普林斯頓

（原載《現代儒學論》，八方文化，一九九六）

《論士衡史》自序

這部文錄是傅杰先生費了兩年的時間為我編纂剪裁而成的。這在我的出版作品中是別開生面的一種。我看過了兩百條的選目，禁不住又感動、又惶悚。我的一些卑之無甚高論的文字，哪裡值得耗去傅先生如許心力，作了這樣全面的鉤玄提要？書名也是傅先生代為擬定的。嚴格地說，這冊書一半是我的，另一半是傅先生的。他在閱讀和剪裁的過程中自然具有內心的權衡。因此在定名方面，他比我更有權威性。我很高興地接受了他的建議。

我自問在文化意識上始終是一個「中國人」。而且我也曾論證道，「中國」自始便是一個文化觀念。我在海外生活了差不多半個世紀，但我在自覺的層面上，總覺自己還是一個「中國人」。多少我在用中文寫作時，我的「中國情懷」似乎依然很濃厚。但是我也不能否認，我的精神和思想中一定也滲進了不少西方文化的成分。這是二十世紀以來中國知識分子的宿命，因為我們的語言、概念，以及語境早已不能保持純淨的中國傳統了。世界已迅速地變成一個地球村了。無論身在何處，中國知識分子都不可能完全封閉在自己的文化母體之中。有時我甚至感到，我所保存的中國文化成分也許過多了。但定不是我自己所能作主的，價值的選取往往不是理智可以單獨決定的。

我無意在這裡進行自我的精神分析。我只想說，我的中文作品確是為海內外一切「中國讀者」寫的。現在借傅杰先生的大力，使這些作品能夠比較全面而有系統地呈現在中國本土的廣大讀者之前，我內心的愉悅是無限的。

一九九八年八月十四日

（原載《論士衡史》，上海文藝出版社，一九九九）

「余英時作品系列」總序

北京三聯書店決定印行「余英時作品系列」六種，我想借此機會說明一下這六種著作的性質。

《方以智晚節考》、《論戴震與章學誠》和《朱熹的歷史世界》是三部史學專著，各自成一獨立的單元。這三部專著雖都標舉了個別思想家的大名，但研究的重心則投注在他們所代表的時代。《晚節考》詳細追溯了方以智晚年的活動和他最後自沉於惶恐灘，但仍然不是一般意義的傳記研究。我是希望通過他在明亡後的生活與思想，試圖揭開當時遺民士大夫的精神世界的一角，因為明清的交替恰好是中國史上一個天翻地覆的悲劇時代。這一精神世界今天已在陳寅恪先生《柳如是別傳》中獲得驚心動魄的展開，但一九七一年我寫《晚節考》時，《別傳》的原稿尚在塵封之中。後來我果然在《別傳》中讀到方以智與錢謙益曾共謀復明，可惜語焉不詳。在這個意義上，《晚節考》也許可以算作《別傳》的一條附注。

《論戴震與章學誠》則是為了解答為什麼宋明理學一變而為清代經典考證的問題。關於中國學術思想史上這一重大轉變，二十世紀初年以來史學家先後已提出種種不同的解釋。這些說法雖各有根據，但我始終覺得還有一個更關鍵性線索沒有抓住。宋明理學和清代考證學同在儒學的整體傳統之內是沒有人可以否認的。既然如此，這一轉變必然另有內在的因素，絕不是僅僅從外緣方面所能解釋得到家的。我在羅欽順（一四六六－一五四七）的《困知記》中讀到一段話，大意是說「性即理」和「心即理」的爭辯已到了各執一詞、互不相下的境地，如果真正要解決誰是誰非，最後只有「取證於經書」。我在這句話裡看到了一隙之明：原來程、朱與陸、王之間在形而上學層面的爭論，至此已山窮水盡，不能不回向雙方都據以立說的原始經典。我由此而想到：為什麼王陽明（一四七二－一五二九）為了和朱熹爭論「格物」、「致知」的問題，最後必須訴諸《大學古本》，踏進了文本考訂的領域？現代學者一致強調顧炎武（一六一三—一六八二）「經學即理學」那句名言是乾嘉經學家的指導原則，這自然是事實。但是我在方以智為《青原山志略》（一六六九年刊本）所寫的〈發凡〉中，也發現了「藏理學於經學」一句話，和顧炎武的名言如出一口。這豈不說明：從理學轉入經典考證是十六、十七世紀儒學內部的共同要求嗎？這樣的線索越積越多，我終於決定作一次系統的研究，《論戴震與章學誠》便是這一研究的初步成果。這部書自一九七六年刊行以來，在明清思想史的專門領域內曾引起了不少討論，它的「內在理路」（inner logic）研究法尤為聚訟的所在。這些討論主要是在海外（包括日本和美國）的學術界進行的。為了澄清誤解，我在一九九六年的增訂本〈自序〉中作了一次較扼要的回應。我說明「內在理路」是相應於此書的特殊性質而採用的方法；我並不認為這是研究學術思想史的唯一途徑。不過我深信，研究學術思想史而完全撇開「內在理路」，終將如造寶塔而缺少塔頂，未能竟其全功。或者像程顥譏諷王安石「談道」一樣，不能「直入塔中，上尋相輪」，而只是在塔外「說十三級塔上相輪」而已。現在三聯書店將此書收入本「系列」之中，我盼望它能得到更多的新讀者的指教。

《朱熹的歷史世界》是去年（二〇〇二）才完成的，無論是所包括的時代或所涉及的範圍，都遠遠超過了前兩部專著。這是關於有宋一代文化史與政治史的綜合研究，但同時又別有其特殊的重點。它的焦距集中在以宋代新儒學為中心的文化發展和以改革為基本取向的政治動態。由於背後的最大動力來自當時新興的「士」階層，所以本書的副題是「宋代士大夫的政治文化」。宋代的「士」不但以文化主體自居，而且也發展了高度的政治主體的意識；「以天下為己任」便是其最顯著的標幟。這是唐末五代以來多方面歷史變動所共同造成的。相應於所處理的歷史現象的複雜性，本書在結構上包括了相互關聯而又彼此相對獨立的三個部分：上篇通論宋代政治文化的構造與形態；下篇專論朱熹時代理學士大夫集團與權力世界的複雜關係，上篇的〈緒說〉則自成一格，從政治文化的角度，系統而全面地檢討了道學（或理學）的起源、形成、演變及性質。二十世紀以來，道學或理學早已劃入哲學史研究的專業範圍。以源於西方的「哲學」為取合標準，理學中關於形而上思維的部分自然特別受到現代哲學史家的青睞。近百年來的理學研究，無論採用西方何種哲學觀點，在這一方面的成績都是很顯著的。但是理學的「哲學化」也必須付出很大的代價，即使它的形上思維與理學整體分了家，更和儒學大傳統脫了鉤。我在〈緒說〉中則企圖從整體的（holistic）觀點將理學放回它原有的歷史脈絡

（context）中重新加以認識。這絕不是想以「歷史化」取代「哲學化」，而是提供另一參照系，使理學的研究逐漸取得一種動態的平衡。

在三聯書店編輯的提議下，本「系列」中另外三本書選收了我歷年來所寫的單篇論文，集結在三個不同的主題之下。這些論文所涉及的時代、地域和範圍都遠比上述三種專著為廣闊，這裡不可能一一加以介紹。下面讓我略述我研究中國史的構想和歷程，以為讀者理解本「系列」之一助。

我的專業是十九世紀以前的中國史，就已發表的專題論述而言，大致上起春秋、戰國，下迄清代中期；所涉及的方面也很寬廣，包括社會史、文化史、思想史、政治史、中外關係史（漢代）等。但是我的目的既不是追求雜而無統的「博雅」，也不是由「專」而「通」，最後匯合成一部無所不包的「通史」。「博雅」過去是所謂「文人」的理想，雖時有妙趣，卻不能構成有系統而可信賴的知識。「通史」在中國史學傳統中更是人人嚮往的最高境界，大概可以司馬遷所謂「究天人之際，通古今之變，成一家之言」表達之。但在現代的學術系統中，這樣的著作只能求之於所謂「玄想的歷史哲學」（speculative philosophy of history）中，如黑格爾的《歷史哲學》、斯賓格勒的《西方的沒落》或湯因比的《歷史研究》。現代史學實踐中所謂「通史」，不過是一種歷史教科書的名稱而已。但無論是前者還是後者，都和我的興趣不合。

我自早年進入史學領域之後，便有一個構想，即在西方（主要是西歐）文化系統對照之下，怎樣去認識中國文化傳統的特色。這當然是「五四」前後才出現的新問題。梁漱溟先生的《東西文化及其哲學》之所以震動一時，便是因為它提出了當時中國知識人心中所普遍關懷的一大問題。梁先生根據幾個抽象的哲學概念對這個大問題所作的解答雖然也曾流行一時，但今天早已被人遺忘了。這不是因為梁先生想得不夠深，而是因為這個問題太大，不是一個人或少數人在很短期間可以僅憑思考便能解答的。無論是西方的或中國的文化傳統，都是在歷史的長河中逐漸演進而成，中間經過了許多發展的階段。而且文化傳統也不是一片未鑿的渾沌，從政治體制、經濟形態、社會結構到思維方式等等，都必須一方面分途追溯其變遷的軌跡，另一方面綜觀各部分之間的互相聯繫。所以我認定只有通過歷史的研究，我們才能獲致有關中國文化傳統的基本認識。這當然是史學界必須長期努力的共業。中國史學的現代化目前尚在開始階段，任何關於中國文化特色的論斷都只能看作是待證的假設。

我雖然帶著尋找文化特色的問題進入中國史研究的領域，但在史學的實踐中，這個大問題卻只能作為研究工作的一個基本預設，而不能也不必隨時隨地要求任何專題研究都直接對它提出具體的解答。這句話的涵義需要稍作解釋。在世界上幾個主要的古老文明中，中國的文明體系獨以長期的持續性顯其特色。這一點現在已為考古發現所證實，大致無可懷疑。所以僅就文字記載的歷史而言，中國至少從商、周以來便形成了一個獨特的文化傳統，一直綿延到今天。在這三千多年間，變化起伏雖然大而且多，但中國史的連續性與歐洲史形成了十分鮮明的對比。雷海宗先生曾指出：歐洲自羅馬帝國分裂以後，便再也沒有第二個全面統一的帝國體制出現。但中國史在秦、漢的第一週期終結之後，接著便迎來了隋、唐以下的第二週期。雷先生早年在美國專攻歐洲中古史，回國以後才轉而研究中國史，他的觀察在今天仍然有很高的啟發性。所以中國與歐洲各自沿著自己的歷史道路前進，無論從大處或小處看，本來應該是不成問題的。我們只要以此為基本預設，然後根據原始史料所透顯的內在脈絡，去研究中國史上任何時代的任何問題，其結果必然是直接呈現出中國史在某一方面的特殊面貌，因而間接加深我們對於中國文化傳統特色的認識。

但在現代中國的史學界，建立這一基本預設是很困難的。這是因為從二十世紀初年起，中國學人對於西方實證主義的社會理論（如斯賓塞的社會進化論）已崇拜至五體投地。嚴復譯斯氏《群學肄言．序》（一九〇三）已說：「群學何？用科學之律令，察民群之變端，以明既往、測方來也。」可見他已深信西方社會學（群學）和自然科學一樣已發現了社會進化的普遍「規律」。所以章炳麟、劉師培等都曾試圖通過文字學來證實中國歷史文化的進程，恰恰符合斯氏的「律令」。但當時西方社會學家筆下的「進化階段」其實是以歐洲社會史為模式而建立起來的。因此與崇拜西方理論相偕而來的，便是把歐洲史進程的各階段看成普世有效的典型，而將中國史一一遵歐洲史的階段分期。從此以後，理論上的「西方中心論」和實踐中的「西方典型論」構成了中國史研究中的主流意識。一個最極端的例子是清代學術史，有人把它比作「文藝復興」（Renaissance），有人則比之為「啟蒙運動」（The Enlightenment）。「文藝復興」和「啟蒙運動」都是歐洲史上特有的現象，而且相去三四百年之遠，如何能與清代考證學相互比附？中西歷史的比較往往有很大的啟發性，但「牽強的比附」（forced analogy）則只能在中國史研究上造成混亂與歪曲而已。但這一「削足適履」的史學風氣由來已久，根深柢固。面對著這一風氣，上述的基本預設是沒有立足之地的。自二十世紀七〇年代以來，西方的人文、社會科學，包括史學在內，顯然已開始轉向，實證主義（以自然科學為範本）、文化一元論和西方中心論都在逐步退潮之中。相反的，多元文化（或文明）的觀念已越來越受到肯定。以前提倡「現代化理論」的政治學家現在也不得不重新調整觀點，轉而高談「文明的衝突」了。也許在不太遙遠的未來，「中國文化是一個源遠流長的獨特傳統」，終於會成為史學研究的基本預設之一。

本「系列」所收三部論文集中，大部分涉及十九、二十世紀的文化與思想。這並不是我違反專業的紀律，故為「出位之思」和「出位之言」，而仍然是關於中國傳統研究的一種延伸。讓我借用杜牧「丸之走盤」的妙喻來說明我的想法。他說：

> 丸之走盤，橫斜圓直，計於臨時，不可盡知。其必可知者，是知丸之不能出於盤也。（《樊川文集》卷一〇〈注孫子序〉）

我們不妨把「盤」看作是傳統的外在間架，「丸」則象徵著傳統內部的種種發展的動力。大體上看，十八世紀以前，中國傳統內部雖經歷了大大小小各種變動，有時甚至是很激烈的，但始終沒有突破傳統的基本格局，正像「丸之不能出於盤」

一樣。我研究十八世紀以前的中國史，重點往往放在各轉型階段的種種變動的方面，便是想觀測「丸」走「盤」時，「橫斜圓直」的種種動向。

但十九世紀晚期以後，中國傳統在內外力量交攻之下，很快進入了一個解體的過程。這次是「丸已出盤」，一般史學家和社會科學家都認為這是中國從「傳統」走向「現代」的新階段。我雖不研究十九世紀以後的中國史，但「傳統」在現代的歸宿卻自始便在我的視域之內。這裡只能極其簡略地提示兩個相關的問題。第一是「傳統」與「現代」（或「現代化」）之間的關係；第二是中國傳統的價值系統在現代的處境。

自從韋伯（Max Weber）在他的歷史社會學中提出「傳統」與「現代」兩大範疇以後，西方社會科學家一般都傾向於把「傳統」看作是「現代化」的反面。「理性」、「進步」、「自由」等價值是「現代」的標幟，而「傳統」則阻礙著這些價值的實現。這一看法的遠源當然可以追溯到十八世紀「啟蒙時代」的思想家，但在二十世紀五〇年代美國「現代化理論」（modernization theory）的思潮中卻發揮到了極邊盡限的地步。「傳統」是「現代化」的主要障礙，必掃除一分「傳統」才能推動一分「現代化」，在五六十年代幾乎成為學術界人人接受的觀點。這一觀點自然也蔓延到中國近、現代史研究的領域。由於史學家一般將鴉片戰爭（一八四〇）當作中國近代史的始點，這就造成了一個相當普遍的印象，認為中國的「現代化」是由西方勢力一手逼出來的。當時美國史學家如費正清（John K. Fairbank）便是在這一理解下提出了「挑戰」與「回應」的理論（借自湯因比）以解釋中國自十九世紀中葉以來的歷史進程。他的基本看法是：西方的文化力量（如「民主」與「科學」）代表了「現代」，向中國的「傳統」進行「挑戰」，但中國的「傳統」一直未能作出適當的「回應」，所以一個多世紀來，中國的「現代化」都是失敗的。這個「典範」（paradigm）在西方的中國史研究的領域中，支配了很長的一段時期，直到七〇年代，因為薩義德（Edward W. Said）《東方主義》（*Orientalism*）一書的出現，費氏門人中才有開始對這一「典範」提出質疑的。但是我從來沒有為「傳統」與「現代」互不相容的理論所說服。在我看來，所謂「現代」即是「傳統」的「現代化」；離開了「傳統」這一主體，「現代化」根本無所附麗。文藝復興是歐洲從中古轉入近代的第一波，十九世紀的史家大致都認為它已除中古「傳統」之舊而開「現代」之新。但最近幾十年來，無論是中古史或文藝復興時代的研究都遠比百年前為深透。所以現在史學界已不得不承認：文藝復興的「現代性」因子大部分都可以在中古「傳統」中找得到根源。不但如此，六〇年代末期社會學家研究印度的政治發展也發現：不但「傳統」中涵有「現代」的成分，而且所謂「現代化」也並不全屬現代，其中還有從「傳統」移形換步而來的。所以「傳統」與「現代化」之間存在著一種「辯證的」關係。我在〈現代儒學的回顧與展望〉（一九九四）的長文中，便從明清思想基調的轉換，說明清末不少儒家學者為什麼會對某些西方的觀念與價值有「一見如故」的感覺。我不能完全接受「挑戰」與「回應」的假定，因為這個假定最多只能適用於外交、軍事的領域，不能充分解釋社會、思想方面的變動。中國「傳統」在明清時期發生了新的轉向，「丸」雖沒有「出盤」，但已到了「盤」的邊緣。所以在中國「現代化」的過程中，「傳統」也曾發揮了主動的力量，並不僅僅是被動地「回應」西方的「挑戰」而已。

關於傳統的價值系統在現代的處境，我的預設大致如下：二十世紀初葉中國「傳統」的解體首先發生在「硬體」方面，最明顯的如兩千多年皇帝制度的廢除。其他如社會、經濟制度方面也有不少顯而易見的變化。但價值系統是「傳統」的「軟體」部分，雖然「視之不見」、「聽之不聞」、「搏之不得」，但確實是存在的，而且直接規範著人的思想和行為。一九一一年以後，「傳統」的「硬體」是崩潰了，但作為價值系統的「軟體」則進入了一種「死而不亡」的狀態。表面上看，自譚嗣同撰《仁學》（一八九六），「三綱五常」第一次受到正面的攻擊，「傳統」的價值系統便開始搖搖欲墜。到了「五四」，這個系統的本身可以說已經「死」了。但「傳統」中的個別價值和觀念（包括正面的和負面的）從「傳統」的系統中游離出來之後，並沒有也不可能很快地消失。這便是所謂「死而不亡」。它們和許多「現代」的價值與觀念不但相激相蕩，而且也相輔相成，於是構成了二十世紀中國文化史上十分緊要然而也十分奇詭的一個向度。正是根據這一預設，我才偶爾涉筆及於二十世紀的思想流變和文化動態。

上面我大致說明了本「系列」所收各書的性質和我自己研究中國文化傳統的一部分心路歷程。中國歷史和文化是一片廣大而肥沃的園地。我雖然長期耕耘其中，收穫卻微不足道。但是我這一點點不成功的嘗試如果能夠激起新一代學人的求知熱忱，使他們也願意終身參加拓墾，那麼這一套「系列」的刊行便不算完全落空了。

二〇〇三年十二月十日於普林斯頓

（原載「余英時作品系列」六種，三聯書店，二〇〇四—二〇〇五）

「余英時文集」總序

這部「文集」是沈志佳博士費心費力編成的。她近幾年來蒐集了我所有的中文論著，分門別類，重新編排。這裡所集四卷便是其中的一部分。廣西師範大學出版社熱心印行這四卷「文集」，先後也很費周章。我必須在這裡表示誠摯的感謝。

這四卷「文集」大體上都是關於中國史學、文化史、思想史方面的論文，但也有幾篇是討論西方歷史與文化的。寫作的時間上起二十世紀五〇年代，下迄近一二年；在這半個世紀中，我自己的知識和思想都有很多的變化和進展。如果我以今天的理解重寫這些論文，它們當然會呈現出不同的面貌。但無論是重寫或徹底修改，在事實上都是不可能的，我只好讓舊作新刊，以存其真。王國維云：「人生過處唯存悔，知識增時只益疑。」可見這是一切治學之士的共同感受，我也唯有借這兩句詩來自解了。

一九〇一年梁啟超寫〈中國史敘論〉，在第八節「時代之區分」中首先提出中國史應劃分為三個階段：第一是「上世史，自黃帝以迄秦之一統，是為『中國之中國』」；第二是「中世史，自秦一統後至清代乾隆之末年，是為『亞洲之中國』」；第三是「近世史，自乾隆末年以至於今日，是為『世界之中國』」。很明顯的，通過當時日本史學界關於「東洋史」的研究，他已接受了文藝復興以來西方人對歐洲史的分期模式。梁氏這篇論文是現代中國新史學的開山之作，和他第二年（一九〇二）的〈新史學〉一文同樣重要。就他所提出的「中國之中國」、「亞洲之中國」和「世界之中國」，三個基本概念而言，他確實拓開了中國史研究的眼界，其貢獻是很大的，但就其所援引的「上世史」、「中世史」和「近世史」的分期而言，他卻在無意中把「西方中心論」帶進了中國史研究的領域。歐洲史分期論和斯賓塞的社會達爾文主義合流，使許多中國新史家都相信西方史的發展形態具有普世的意義。以西方史為典型，中國史直到清末都未脫出「中古史時代」，幾乎成為二十世紀中國新史家的共同信仰。

二十世紀三〇年代馮友蘭寫《中國哲學史》便明白承認：「直至最近，中國無論在何方面，皆尚在中古時代。」（見第二編第一章）但是我自始即不能接受「西方中心論」這一武斷的預設。在廣泛閱讀西方文化史、思想史之後，我越來越不能相信西方是「典型」，必須成為中國史各階段分期的絕對準則。現代中、西之異主要是兩個文明體系之異，不能簡單地化約為「中古」與「近代」之別。在中國史研究中，參照其他異質文明（如西方）的歷史經驗，這是極其健康的開放態度，可以避免掉進自我封閉的陷阱。所以我強調比較觀點的重要性。但是我十分不贊成「削足適履」式的比附，因為這將必然導致對於中國史的全面歪曲。一八七七年馬克思在〈答米開洛夫斯基書〉中堅決反對有人把他關於西歐資本主義起源的論斷變作一種歷史通則，應用於俄國史的研究上面。這一強烈抗議是值得我們深思的。

這四卷「文集」所收的史學論著，雖然寫作的時間有遲有早，大體上都是從上述的立場出發的。我誠懇地盼望得到讀者的指正。

二〇〇四年三月二十一日

（原載「余英時文集」四卷本，廣西師範大學出版社，二〇〇四）

「余英時文集」新序

「余英時文集」一至四卷在二〇〇四年刊行以後，沈志佳博士又繼續搜集了我的其他文字，擇其可以與大陸讀者見面的，編成第五至第十卷。廣西師範大學出版社不辭煩難，在條件允許的範圍之內，續刊這六卷新的「文集」，其敬業的精神是令人感動的。讓我再次對沈博士和出版社表示我的最誠摯的感謝。

我的專業是歷史學研究，所以這六卷所收的論文仍然貫穿著史學的觀點。但是就所涉及的範圍而言，這六卷則比前四卷要廣闊得多。整體地說，在我的思考和研究中，中國文化傳統怎樣在西方現代文化挑戰之下重新建立自己的現代身分

（modern identity），一直是重點之一。這當然是清末，特別是五四以來，中國知識人的共同問題，然而始終得不到明確的答案。我也不過是千千萬萬尋找答案者之一而已，這六卷新文集中保存了一些我的尋找的印跡。

後六卷與前四卷一樣，也包括了早期到近期的文字。最近的包括一篇未發表過的新稿（討論錢謙益的「詩史」觀念，收在第九卷），最早的則是我在香港新亞書院求學時期的「少作」（收在第六卷和第七卷）。這裡只想對這些「少作」略作交代。我受了五四思潮的影響，雖然已決定投入中國史的專業，但對於西方近代的文化史和思想史同樣抱著濃厚的興趣。我當時已不能接受任何抽象的歷史公式，更不承認西方史的階段劃分可以為中國史研究提供典型的模式。然而我深信西方的歷史與思想不失為一個重要的參照系統，使我更易於在比較的觀點下探索中國文化和歷史的特性。同時，對於五四時代所接受的西方近代文化主流中的一些基本價值，如容忍、理性、自由、平等、民主、法制、人權等，我也抱著肯定的態度。這些價值，當時也被公認為普世性的，一九四八年聯合國的《人權宣言》便是明證。基於這一認識，我在一九五〇年至一九五五年這幾年間，曾努力閱讀這方面的西文著作。「文集」卷六、卷七所收的「少作」便是在這一心態下寫成的。

這些「少作」只是我早年學習的記錄，久已置於高閣。但一九八三年，在台北友人一再鼓勵之下，我覺得盛情難卻，曾由漢新出版社重印過一次。沈志佳博士這次提議將它們收入「文集」，我本來是很猶豫的。但是她認為這些「少作」畢竟代表了我寫作生涯中的一個階段，從「文集」編輯的角度說，仍是一個不宜缺少的環節。我終於接受了她的判斷。這次印行，我自己並沒有時間做任何修訂。不過出版社方面根據既定的編輯原則，曾作了一些必要的處理，基本上仍是尊重原作的，僅僅減少了一些文句而無所增改。我很感謝出版社的苦心與好意。對於西方史的參照功能和起源於西方但已成為普世性的現代價值，我至今仍然深信不疑。這也是我讓這些「少作」再度刊布的唯一理由。

二〇〇六年元旦

（原載「余英時文集」十卷本，廣西師範大學出版社，二〇〇六）

「余英時文集」二版序

「余英時文集」第十一、十二兩卷即將面世，這是廣西師範大學出版社和友人沈志佳博士通力合作的最新成果，讓我首先表達最誠摯的感謝。但是我必須趕緊補充一句，對於志佳而言，這「感謝」二字是絕對不夠用的。像前十卷一樣，從集結到編定，她為這兩卷文集做了無數勞心而又勞力的細緻工作，她在〈編者後記〉中已透露此中消息。

最使我感動不安的，志佳自己的職務一向很繁重，接掌華盛頓大學東亞圖書館館務以後，更是如此。但是十幾年來，她竟在繁忙的專業之外，硬擠出時間來，先後為我編出了十二冊文集。由於志佳和我是史學界的同行，她編我的文集無論是主題的選擇、分類，或繫年等方面，都井然有序。因此我的作品才能夠以系統性的面貌呈現於讀者之前。得到這樣一位富於「理解之同情」的編者，我當然感到十分欣幸，但每一念及她的辛苦和犧牲，則又不勝其惶悚。

「文集」第十一、十二兩卷的重點各有不同，〈編者後記〉已予指出，這裡不必重複。這部文集的最早四卷是二〇〇四年出版的，十卷本（第五至第十卷）則是二〇〇六年出版的，距今已整整七年。現在第十一、十二卷的刊行可以說是承先啟後的一個新階段的開始。此中原因並不難尋找：志佳一直在收集我最近七年來的新作；她將這些新作和以前未收但性質相近的舊作聚攏在一起，新的文集便自然而然地形成了。志佳告訴我：她對於第十二卷以下已有初步構想，有興趣的讀者不妨拭目以待。

這部文集所涉及的範圍很廣，論題繁多，初看似有泛濫無歸之勢，因此我想簡單地概括一下我的治學宗旨，以供新一代讀者參考。

上接五四以來的文化爭議，我採取了下面的假定：我承認人類文化大同小異。因為「大同」所以不同文化之間可以相通，不僅在物質層面，而且在精神層面也可以相通。但因為「小異」，所以每一文化又各有其特色。文化特色復和文化程度成正比，文化越高，則特色也越顯著，目前討論得很熱烈的古代「軸心文明」（Axial Civilizations）便是最有代表性的史例。在這一假定之下，我的歷史研究自始即以探求中國的文化特色為最後歸宿。由於文化特色無所不在，不是僅從思想或哲學一端所能掌握得住，因此我在思想之外，還要從政治、社會、經濟等各方面去查看這特色是如何體現的。但我並不把各部門完全分開討論，而是從整體的（holistic）觀點查其互相之間的關聯與會通，因為文化特色往往在此關聯與會通之處顯現。

又由於文化特色並非一成不變之物，而必然在歷史流程中逐步演變，因此我的研究也不能限於任何一個時代。大體上說，我的重點主要集中在思想文化發生重大變化的時代，如春秋戰國之際、漢晉之際、唐宋之際、明清之際。

上面提到，我對於中國文化特色的探求直接導源於五四以來的文化爭論。這就是說，如多數現代的中國學人一樣，我的文化關懷是：在西方文化的挑戰下，中國文化究竟應該怎樣自我調整和自我轉化，然後才能達到陳寅恪先生所嚮往的境地，即「一方面吸收輸入外來之學說，一方面不忘本來民族之地位」。我深信文化之

「大同」，因此對五四倡導的「科學」和「民主」兩大普世價值始終抱著坦然接受的態度，至今未變。但是對於很多五四知識人一方面將「科學」推至「科學主義」（scientism）的極端，另一方面又將清末以來「尊西人若帝天，視西籍若神聖」（鄧實（一八七七—一九五一）語）的態度發展到頂峰，則是我完全不能同意的。所以追溯到最後，我試圖在傳統的方方面面發掘中國文化的特色，除了歷史求真之外，同時也希望脫出上述兩種偏頗，而尋求一條比較順適的中西文化會通之道。

相應與這一文化關懷，我的閱讀和思考範圍往往不能不越出我的教研專業，即十九世紀以前的中國思想史和文化史。為了突出中國的文化特色，我有時也必須引西方文化為參照系，因為文化特色只有在互相比較中才能清晰地顯現出來。為了展示中國傳統的現代轉化及其所經歷的種種危機，我甚至不能不把我的史學研究擴展到二十世紀。

以上概括只是提醒讀者，我的文集雖不是有計畫、有系統的一氣呵成之作，但其中也有一些基本預設（assumptions）、中心觀念和價值關懷，可以把一部分散篇文字有機地聯繫起來，包括第十一、十二兩卷的文字在內。有心的讀者試一披尋，當可自得之。

二〇一三年十月二十七日於普林斯頓

（原載「余英時文集」十二卷本，廣西師範大學出版社，二〇一四）

「余英時作品系列」自序

北京大學出版社和彭國翔先生合作，決定為我出版一套別出心裁的「作品系列」。這一系列包括一部散文集、一部自序集、一部懷舊集，也許還加上一部訪談錄。我為什麼說，這一系列是別出心裁呢？因為其中所收都是我個人所感所思之作，與我在一般史學論著中盡量將自己放逐在外的風格，適成鮮明的對照。如果借用王國維在《人間詞話》中的概念，前者屬於「有我之境」，後者屬於「無我之境」。這「有我之境」便是本系列的別出心裁之所在。一九四九年秋季，我在燕京大學歷史系讀過一學期，燕園的師友和風景後來一直縈繫在我的心頭。一九七八年十月我隨美國漢代研究代表團訪問北京大學，其他團員當然都認為到了北大，只有我一個人感覺是回到了離別二十九年的母校。我清楚地記得，在我們一夥人經過未名湖畔時，我還極其匆忙地獨自跑到當年的宿舍（燕大第二食堂）去探望了一下。現在北京大學出版社為我刊行作品系列，我卻彷彿感到：這是母校對於一個遠方校友的親切照顧。彭國翔先生費了極大的心力編選這一系列，我對他的感激不是一句尋常道謝之語能夠表達於萬一的。是為序。

二〇一二年二月十日於美國普林斯頓

（原載「余英時作品系列」四種，北京大學出版社，二〇一二）

余英時文集24

余英時序文集

2022年11月初版

Printed in Taiwan.

定價：平裝新臺幣550元
精裝新臺幣680元

著者	余英時
總策劃	林載爵
總編輯	涂豐恩
副總編輯	陳逸華
校對	吳美滿
	吳浩宇
內文排版	菩薩蠻
封面設計	莊謹銘

出版者	聯經出版事業股份有限公司
地址	新北市汐止區大同路一段369號1樓
叢書編輯電話	(02)86925588轉5348
台北聯經書房	台北市新生南路三段94號
電話	(02)23620308
台中辦事處	(04)22312023
台中電子信箱	e-mail：linking2@ms42.hinet.net
印刷者	世和印製企業有限公司
總經銷	聯合發行股份有限公司
發行所	新北市新店區寶橋路235巷6弄6號2樓
電話	(02)29178022

總經理	陳芝宇
社長	羅國俊
發行人	林載爵

行政院新聞局出版事業登記證局版臺業字第0130號

本書如有缺頁，破損，倒裝請寄回台北聯經書房更換。
聯經網址：www.linkingbooks.com.tw
電子信箱：linking@udngroup.com

ISBN 978-957-08-6580-6 (平裝)
ISBN 978-957-08-6581-3 (精裝)

國家圖書館出版品預行編目資料

余英時序文集/余英時著．初版．新北市．聯經．2022年11月．
384面．14.8×21公分（余英時文集24）
ISBN 978-957-08-6580-6（平裝）
ISBN 978-957-08-6581-3（精裝）

1.CST：序跋

011.6 111015715